el LIBRO de los AMIGOS

El libro de los amigos hará que te dediques en cuerpo y alma al más bello y el mejor pagado de todos los oficios: el de la amistad.

Aquí encontrarás toda una serie de prácticas para consolidar las viejas y muy valiosas amistades y para aprender a convivir con todas las personas, aun con aquellas que parecen estar siempre de malas.

Con esta obra desarrollarás una actitud emocionalmente saludable hacia tus compañeros, vecinos y aquellos seres que todavía no rebasan la categoría de "conocidos".

El libro de los amigos no es solamente una lectura "de cabecera", seguramente la traerás de aquí para allá, de mano en mano, haciendo amigos. ¡Sé un verdadero conquistador!

ANDREW MATTHEWS

el LIBRO de los AMIGOS

SELECTOR
actualidad editorial

SELECTOR
actualidad editorial

Mier y Pesado 128
Col. Del Valle
México 03100, D. F.

Tels. 543 70 16 - 682 57 17
FAX: 682 06 40

EL LIBRO DE LOS AMIGOS
Making Friends

Traducción: M.A. García
Diseño de portada: Armando García
Ilustración de la portada: Andrew Matthews

Copyright © 1990 by Andrew Matthews
    and Media Masters Pte. Ltd.
Ilustraciones: Andrew Matthews
Publicado mediante acuerdo con Media Masters Publishers
D.R. © 1991, Selector, S.A. de C.V.

ISBN (inglés): 981−00−1953−X
ISBN (español): 968−403−604−3

CONTENIDO

UNA LECCIÓN DE AMISTAD

Las relaciones humanas son la fuente del placer y del dolor en la vida. Este libro expone algunas ideas y estrategias para procurarte más places y menos dolor.

Quizá alguna vez has pensado de un conocido: "Es imposible no discutir con esa persona", o "¡no sé cómo hablar con esta dama!". Para tratar a estas personas existen opciones que tal vez no has intentado y que tomaremos en consideración.

Siempre hay opciones para relacionarnos con los demás, pero la mayoría caemos en las formas y esquemas a los que estamos acostumbrados.

Con seguridad, conoces personas que saben relacionarse con todo el mundo. Se topan con un desconocido en un restaurante y automáticamente parecen amigos de toda la vida. "¿Desde cuándo se conocen?", les preguntas. "Es la primera vez que nos vemos", te responden.

Estos personajes singulares no nacieron con suerte, sencillamente aplican ciertas estrategias, poseen una noción particular de las cosas, la cual también tú puedes desarrollar.

Existen ciertas actividades que no es divertido hacer solos. ¿Has intentado tener una fiesta tú solo?

Para mudarse de casa, hacer planes, organizar fiestas, se necesita la compañía de las personas que te importan en la vida.

Vida alegre es la que está llena de amigos. Imagina perder tu trabajo, tu dinero o tu flamante auto. Sin duda, saldrías adelante. Pero perder a tus mejores amigos es mucho peor.

Nuestra felicidad estriba en nuestra actitud hacia nosotros mismos y hacia el trabajo, en nuestras metas, en nuestras reacciones al fracaso, a las desilusiones, al placer, al dolor... Mi primer libro, *Por favor sea feliz*, trata sobre dichas cuestiones. Yo lo llamo la filosofía de la vida desembarazada.

Este libro trata sobre *los demás*, con quienes reímos, sufrimos, gritamos, injuriamos, lloramos, trabajamos, jugamos, planeamos, debatimos; aquellos a quienes amamos, toleramos, culpamos, en quienes creemos y confiamos y a quienes a veces evitamos.

No existen fórmulas sencillas para hacer amigos. Ciertamente, se requiere más que una saludable autoestima y buenos modales en la mesa para ganarse la confianza de los demás. Existe un equilibrio entre dar y recibir, entre nuestro deber para con nosotros mismos y para con los demás. También intervienen la generosidad, la sensibilidad, el sentido del humor y un poco de sabiduría.

Nuestro mundo está dividido en estratos. Existe el mundo privado, integrado por nuestros familiares y amigos, y el mundo exterior, compuesto por el jefe, el gerente del banco y uno que otro extraterrestre (como los vendedores de seguros).

A cada una de las personas es necesario tratarlas de maneras distintas. Sin embargo, lo que se busca es una coexistencia pacífica con los individuos de todos los estratos.

"¿Lo que hago enriquece mi vida?", es una pregunta fundamental que debemos hacernos.

Piense en Fred, que lo tiene "todo": camisas de Armani, trajes de Pierre Cardin, zapatos Gucci y una colección de tarjetas de crédito. En la muñeca luce un reloj de oro que hace juego con su Porsche. Y probablemente sostendrá a capa y espada que en todo actúa "correctamente". "Si todo lo hago de una manera adecuada, ¿dónde están mis amigos de verdad? ¿Y cómo puede ser que todos —y todas— prefieran a Barry con su carcacha?", puede llegar a preguntarse.

Igual que Fred, todos podemos salir beneficiados si nos hacemos preguntas importantes: ¿Soy confiable? ¿Me siento superior? ¿Me siento inferior? ¿Vivo atemorizado? ¿Me tomo demasiado en serio? ¿Sé reírme de mí mismo? ¿Soy responsable? ¿Mi compañía es amena o aburro mortalmente a todo mundo?

He aquí la primera lección de la amistad: *si quieres amistad, antes de nada tú debes ofrecerla.*

CAPÍTULO 1

Tú y los demás

No es bueno ser "la otra mitad" de alguien;
debemos ser personas totales.

¡TODOS NOS PONEMOS NERVIOSOS!

La mayoría de la gente actúa con mayor nerviosismo que tú. ¿Alguna vez te has sentido intimidado por alguien? Si te sirve de consuelo, muchas personas que parecen serenas, llenas de aplomo y seguras de sí, en realidad están paralizadas de terror.

En una fiesta, descubres una glamorosa joven sentada sola en un sofá sorbiendo desenfadadamente un martini. "Se ve muy tranquila y segura de sí", musitas para tus adentros. Pero si pudieras leer su mente te sorprenderías. "¿Se preguntará la gente por qué estoy sola? Si soy atractiva, ¿por qué no me acompaña un hombre? Mi busto es demasiado pequeño... Ojalá fuera tan lista como mi hermana...

Quisiera ir al tocador, pero todos van a voltear a verme... ¡Si ese tipo se acerca a hablarme, me muero...!" Si observamos al zar de los negocios, pensamos: "éste las tiene todas consigo". Sin embargo, él se preocupa por su barriga y su nariz enrojecida; se pregunta por qué no puede comunicarse con sus hijos, y sufre pensando en perder su toque maestro, su cabello y su dinero.

¡Qué gran ironía! Observamos a los demás y creemos que las traen todas consigo. Por su parte, ellos piensan que la seguridad está en nosotros. Vivimos intimidados por personas que viven intimidadas por nosotros.

Durante varios años dirigí un seminario, y al inicio del mismo pedía a los participantes que se presentaran. A dichos seminarios acudían profesores, doctores, abuelas, modelos, vendedores, adolescentes y hombres de negocios aterrorizados y sudorosos ante la idea de hablar durante 30 segundos en un salón abarrotado de gente. La razón de su temor: *"los demás podrían pensar que no soy apto"*.

En realidad, todo el mundo considera no estar suficientemente apto. Nadie las tiene todas consigo.

Además de provocar angustia, temer a los demás provoca malos entendidos. Quizá tus vecinos no te dirijan la palabra, de manera que tú tampoco les hablabas. Llegaste a la conclusión de que eran unos huraños *esnobs*. Siempre que te topabas con ellos, se ponían a escudriñar las nubes y tú a explorar las grietas del pavimento.

Finalmente, un año después, alguien los presentó y de inmediato se hicieron amigos. Te daba miedo saludarlos y pensabas que algo andaba mal *con ellos*. A ellos les daba miedo saludarte y creían que algo andaba mal *contigo*.

Pocas personas poseen la seguridad que ostentan. Al mirarte en el espejo, mientras te cepillas los dientes, puedes pensar que tu aspecto es inofensivo; pero no te engañes, *te ves temible*. Pones nerviosa a mucha gente. De modo que si has pasado noches enteras en vela, temeroso de los demás, pónle un hasta aquí a esa situación. Y siempre que sientas la tentación de rechazar a los demás, considerándolos fanfarrones y hostiles, concédete el beneficio de la duda. Es muy probable que se sientan atemorizados.

EN SÍNTESIS (ES DECIR, EN UNA NUEZ)

Thoreau escribió: "la mayoría de las personas viven existencias de callada desesperación". Todos tenemos inseguridades. Rehúsate a vivir intimidado por un montón de personas que —al igual que tú— quizá viven una existencia de callada desesperación.

HÁBITOS

¿Has notado que las personas con hábitos inadecuados son las últimas en darse cuenta de ellos? Es justamente la persona con mal aliento la que no advierte que ahuyenta a los demás. El eterno comedor de ajos es el último en notar su pestilencia.

¿Qué conclusión podemos obtener con respecto de nuestros propios hábitos irritantes? Que generalmente somos los *últimos* en darnos cuenta de ellos.

Una amiga mía habla y habla y habla. Conversar con ella es como pararse delante de una ametralladora. Es muy inteligente y culta, pero no advierte el efecto que causa en la gente. Es famosa por sus

monólogos interminables. Le han hecho notar el problema en más de una ocasión, pero por alguna razón jamás ha parecido captar el mensaje. Está baldada socialmente y no lo sabe.

Debemos estar conscientes del efecto que causamos en los demás y estar preparados para tomar medidas al respecto. Cuesta muy caro vivir con excusas como: "es que yo soy así". Si varias personas nos confiesan que hablamos demasiado, que somos muy impuntuales, que siempre sermoneamos, que tenemos mal carácter o malos modales, podemos sacar provecho de dicha información. Suele ser una señal de que existe un problema en nosotros.

Una manera de mejorar la percepción de uno mismo es hablar con amigos verdaderamente de confianza. Acude con quienes no te sobajarán deliberadamente y pregúntales: "¿qué impresión causo?". Confiésales que te interesa superarte y que esperas de ellos una respuesta enteramente franca.

He aquí algunas preguntas que pueden servirte como punto de partida:

¿Hablo demasiado?

¿Me quejo demasiado?

¿Bebo demasiado?

¿Tengo mal aliento?

¿Soy ofensivo en mi forma de hablar?

¿Hablo demasiado sobre mi salud, mi pareja, mi insomnio?

¿Acerca de mi dinero, mi entrenamiento físico, etcétera?

¿Cómo son mis modales en la mesa?

¿Como con la boca abierta?

¿Soy aburrido?

¿Parte de mi guardarropa debería tirarlo a la basura?

Éstas son preguntas muy personales, ¡pero tienes que hacerlas! Lo que tus amigos te digan no lo tomes como verdad absoluta, pero considera muy seriamente sus puntos de vista. Hazte la siguiente pregunta: "¿otras personas me han dicho lo mismo antes?", o "¿qué me parecería vivir o trabajar con una persona como yo?".

Puede ocurrir que tu manera de ser irrite a los demás y, sin embargo, decidas no cambiar. Si es así, al menos intenta estar consciente de lo que haces y de lo que puede costarte esa clase de comportamiento.

Algunas personas asumen la siguiente actitud: "mi único problema son los otros cinco mil millones de habitantes que viven en este planeta. Yo soy perfecto, pero ellos no me entienden..."

En un orden ideal de cosas, los demás siempre se muestran tolerantes ante nuestras debilidades, pero no siempre puedes contar con ello. El hecho de que tú decidas ser tolerante no quiere decir que los demás también lo serán. Muchos aspirantes a ejecutivos han sido desdeñados por vestir descuidadamente. Muchos matrimonios han fracasado porque la esposa hablaba sin cesar y el marido jamás la escuchaba.

EN SÍNTESIS

Las personas sobresalientes desarrollan una particular conciencia de sí, que los hace ser aceptados por los demás. Para ejercer sobre la gente una influencia positiva debemos desarrollar ese tipo de conciencia en nosotros mismos.

LAS COMPARACIONES

Debes amarte tú mismo antes de poder amar a otros. Debes creer lo anterior si deseas mejorar como persona. En libros y seminarios de superación personal se proclama el mismo principio. *Cuando nos criticamos en exceso, tendemos a envidiar a quienes desarrollan un mejor papel que el nuestro.* Por ejemplo, considera el caso de Frank y su esposa Jane. Frank es un ejecutivo en ascenso.

Jane se encarga de los hijos y no sale de casa. Ella siente que su existencia es gris, mientras que Frank forja una brillante carrera. Resultado: Jane le tiene envidia a su marido. De día y de noche critica al hombre que prometió amar y respetar en la salud y en la enfermedad. El hecho es que Jane no se estima a sí misma, de modo que detecta fallas en Frank y en todo el mundo.

Ante quienes desempeñan un buen papel, Jane se siente inepta; así que se pone a criticar. Sus juicios en realidad no tienen nada que ver con Frank; derivan de las opiniones que tiene sobre sí misma. La relación entre ellos jamás mejorará mientras ella no experimente un aprecio mayor por su propia persona.

Si nos fijamos solamente en nuestras fallas, supondremos que los demás también se fijan solo en nuestros errores. Por tanto, desafortunadamente siempre estaremos esperando ser rechazados.

Piensa en el caso de Fred, que se considera un fracasado. Teme que su novia, Mary, también pueda pensar que es un fracasado. Le preocupa enormemente poseer menos que sus vecinos. Sabe que está un poco gordo y sospecha que su nariz es demasiado grande. Como no se agrada él mismo, es aprehensivo y se siente inferior. Piensa que Mary está buscando a alguien mejor que él. Se ofende con facilidad, y la regaña todos los días. El pobre Fred no puede olvidarse de sus problemas, ni siquiera por un rato, como para poder preocuparse verdaderamente por Mary. Resultado: Mary se siente rechazada, porque Fred se siente a disgusto consigo mismo. Si la imagen que tenemos de nosotros mismos es pobre, nuestros amigos invariablemente sufren las consecuencias.

Compararnos con otros es un engaño. Siempre habrá personas más talentosas, ricas, inteligentes, ingeniosas o populares, que nosotros. Puede ocurrir que tu pareja, tus padres o profesores, suelan decirte: "¿por qué no puedes ser como tu hermano?". La respuesta es: "porque *no soy* mi hermano. ¡Si lo fuera, sería exactamente como él!"

En un momento determinado, todos debemos llegar a la siguiente conclusión: "soy un individuo único. No tengo que ser una copia al carbón de mi madre, de mi vecino, ni de nadie, no soy perfecto, pero hago lo que puedo con la información de la que dispongo. Estoy empeñado en llegar a ser mejor y por lo pronto me acepto como soy."

Todos nosotros, de la misma manera que Jane y Fred, debemos dejar de medirnos en relación con nuestros parientes, amigos o vecinos. En lugar de ello debemos plantearnos metas y objetivos que tengan sentido para nosotros. Debemos medir nuestros logros del presente año en término de *nuestros propios* logros del año pasado, y no en función de los del vecino. La satisfacción y el sentimiento de nuestra propia valía derivan de nuestro propio desarrollo.

Jane tiene muchas opciones para mejorar el concepto que tiene de sí misma y, durante ese proceso, llegar a ser una mejor esposa. En lugar de criticar a Frank, puede fijarse metas asequibles y significativas para conseguir un trabajo a futuro, para reanudar sus estudios, para quitarse el exceso de peso. Pronto se dará cuenta de que *no se sale del hoyo haciendo que otros caigan en él*. Tiene que salir escalando.

De igual manera, Fred debe hacer un esfuerzo coherente. Dejar de compararse y empezar a superarse; incrementar sus pequeños logros, apoyar a Mary cuando sea posible, concentrarse en sus cualidades y aceptar ciertos atributos, como su prominente apéndice nasal.

En cuanto dejemos de compararnos constantemente, estaremos en posibilidades de apreciar y dirigir cumplidos a los demás. En ese momento desaparecerá el suplicio mental. "Qué bonita chamarra tiene ella; mejor novio y mejores calificaciones que yo. ¿Será que soy inferior?" Derribemos la nociva concepción según la cual "*si tú eres más, yo soy menos*".

Amarse uno mismo no es cuestión de presumir con todo el mundo. Es cuestión de aceptarse uno mismo; ser consciente de tus cualidades lo mismo que de tus defectos. Para disfrutar de relaciones fructíferas *debes ser tu mejor amigo*.

Fred piensa: "aún no estoy seguro de que deba agradarme yo mismo". Pues bien, existe otra buena razón por la que Fred debe, antes de nada, sentirse a gusto consigo mismo. *¡Si él mismo no se aprecia, no creerá que nadie pueda apreciarlo!* Esto da lugar a más problemas:

Cuando los demás se muestran amigables con Fred, puede llegar a la conclusión de que:

a) Desean obtener algo de él, o

b) Algo debe de andar terriblemente mal en ellos como para que busquen su compañía.

• Si continuamente se critica, puede ocurrir que todos sus amigos lleguen a la conclusión de que algo anda mal en él y lo rechacen en definitiva.

• Fred inconscientemente puede destruir sus relaciones antes de que los demás tengan oportunidad de rechazarlo.

Los psicoanalistas Bernard Berkowitz y Mildred Newman escribieron: "las personas que no se aman a sí mismas pueden adorar a otros, porque la adoración engrandece a otro y lo disminuye a uno mismo. Pero no pueden amar a los demás, porque el amor es una afirmación del ser que vive y crece dentro de nosotros. Si no lo posees, no puedes darlo".

OPTAR POR EL SUFRIMIENTO

Si la imagen que tenemos de nosotros mismos es demasiado pobre, podemos optar por hacer nuestra existencia infeliz y castigarnos. Sufrir, como todo comportamiento, tiene sus ventajas:

• Si siempre has sufrido, existe cierta seguridad en el hecho de sufrir. Se trata de un estado que conoces bien y, además, cambiar provoca temor.

• Podemos pensar que siendo unos fracasados nos ganaremos de alguna manera el cariño de los demás: "Quizá si sigo sufriendo lo suficiente, mis padres, mi pareja o alguien sí sentirá pena por mí y empezará a quererme". Desafortunadamente, las relaciones sanas no se basan en la lástima.

• Podemos seguir sufriendo, esperando que Dios observe nuestra infelicidad y que milagrosamente corrija el caos que existe en nuestras vidas.

A medida que mejora la imagen que tenemos de nosotros mismos, el sufrimiento deja de ser una alternativa aceptable; sin embargo, hay quienes definitivamente optan por sufrir y están en todo su derecho.

¿CÓMO PUEDO SENTIR APRECIO POR MÍ MISMO?

"Reconozco la importancia de amarme —o al menos de experimentar cierto aprecio por mí mismo—, ¿pero cómo he de lograrlo si me siento un fracasado, si mis padres me han desdeñado, si mis profesores me ridiculizaban, si detesto mis ojos porcinos y mis dientes chuecos?"

Pues bien, es muy posible llegar a aceptarse uno mismo e incluso a amarse. Quizá será una labor a largo plazo, pero las probabilidades de lograrlo son enormes. Tu felicidad depende, precisamente, de lo que sientas por ti. El éxito en todas tus relaciones amistosas depende de que tú te aceptes.

"¿Quiero enaltecerme o hundirme?", ésa es la pregunta que te debes hacer.

Antes que nada conviene recordar cómo te formaste la imagen que tienes de ti mismo.

¿QUIÉN TE PIENSAS QUE ERES?

Los primeros puntos de vista sobre tu propia persona procedieron de tu familia y fueron *negativos.* "No hagas batidillo... *Siempre* se te caen las cosas... *Nunca* haces lo que se te dice... Me vuelves loca... No seas tan *estúpido*... Podría ahorcarte, escuincle condenado..." Algunos padres logran equilibrar lo negativo y lo positivo, pero para muchos niños la vía es de un solo sentido. Cierto, nuestros padres nos amaban, pero con demasiada frecuencia la vida se interponía. ¿Cómo lograr que tu pequeño de tres años se sienta amado y único si se pone a pintarrajear el tapiz nuevo con lápiz labial? ¿Qué tanto te preocupa la imagen de sí que pueda formarse tu pequeño que acaba de arrojar tu cartera al río?

Como niño en una familia de adultos, no puedes evitar sentir que todos saben más que tú. Todos ya saben cómo amarrarse las agujetas e ir al baño. Tú eres el lobo al que hay que repetirle las cosas una y otra vez. Nuestros hermanos mayores tampoco ayudan a edificar la imagen que tenemos de nosotros mismos. Si te dicen que eres estúpido, tienes que creerles. Ellos tienen experiencia. Saben de la vida.

Cuando empiezas a ir a la escuela, tus problemas se multiplican. Nuevamente, parece que todo el mundo sabe de todo, excepto tú. Otra vez vienen las comparaciones. Por lo general, los profesores ignoran tus méritos y se ensañan cuando haces algo mal. Y una vez más, surge en ti el sentimiento de que algo anda mal contigo. Después de ocho o 10 años en la escuela, llegas a la pubertad; y ahí es donde las cosas se ponen realmente difíciles. Todo ocurre demasiado aprisa o demasiado lento: tus atributos se desarrollan exageradamente o, por el contrario, el solo hecho de estar vivo resulta terriblemente embarazoso.

Mientras tanto, te sientas ante la televisión todos los días. En ella aparecen montones de personas talentosas y atractivas ocupadas en actividades heroicas. Las mujeres tienen la piel tersa, los ojos grandes y los dientes perfectos; los tipos miden un metro ochenta, poseen mandíbulas cuadradas y bíceps imponentes. Cuando te comparas con estas criaturas, la imagen que tienes de ti mismo desciende hasta el suelo.

Por si fuera poco, los anuncios publicitarios nos hablan de todas las cosas que deberíamos tener, pero que no podemos comprar. "Las personas sofisticadas usan Christian Dior; las mujeres que 'saben' compran Gucci; los hombres con estilo manejan un Jaguar..." El mensaje es: "si no adquieres estos productos, no vales nada". Para colmo, tus familiares no dejan de criticarte "por tu propio bien".

¿Te das cuenta de lo que esto significa? ¡No has tenido oportunidad de salir adelante! Para el día en que papá, mamá, tu hermano, tu hermana, tu profesor de matemáticas, tu tío Ralph, Levi-Strauss y la familia Brady, han terminado de dar cuenta de ti, no das la talla. No te ajustas a sus "ideales". Y, además, existe un círculo vicioso. La mayoría de las personas que nos rodean tienen muy poca autoestima, así que nos sobajan; esto nos hace sentir mal, de modo que también nosotros los sobajamos a ellos, para que a su vez se sientan mal y, en consecuencia, vuelven otra vez a sobajarnos... Todos acabamos sintiéndonos inferiores.

(En cierto estudio se demostró que, ya desde los 14 años de edad, el 98% de los adolescentes tiene una mala imagen de sí mismos. Detestan su físico; se sienten ineptos e inseguros.)

AHORA QUE SÉ DE DÓNDE SURGIÓ LA MALA IMAGEN QUE TENGO DE MÍ MISMO, PUEDO ECHARLE LA CULPA A LOS DEMÁS, ¿NO ES ASÍ?

¡De ninguna manera! Ahora que sabes de dónde proceden algunas de tus ideas descabelladas, puedes deshacerte de ellas. *No culpes a los demás.* Tus padres hicieron el mejor papel que pudieron hacer. Te amaron tanto como les fue posible. Sencillamente debes entender que la mayoría de las opiniones que recibiste sobre ti mismo eran mensajes distorsionados. Procedían de personas que nunca creyeron ser aptas, por lo cual te dijeron que *¡tú no eras lo bastante apto!* Tu tarea, desde esto momento es empezar a apreciar a la persona que realmente eres.

"¡Permíteme un momento! —dirás— ¿y qué tal si resulta que realmente *no* soy nada grato?" Pues bien, si no crees ser agradable, probablemente sigues aferrado a las cosas que los demás te han dicho sobre ti.

"No estoy de acuerdo con lo que siempre me dices", podrías insistir. "Creo que *debo* sentirme inepto y culpable por las siguientes razones:

a) He hecho muchas estupideces.

b) He desilusionado a muchos.

c) Con frecuencia fracaso.

d) Siento no ser suficientemente apto.

e) Como demasiado.

f) A veces tengo malos pensamientos."

¡Bienvenido a la especie humana! Si *fueras* perfecto, serías un ángel. Tu condición humana es causa de que cometas errores y de que seas un poco inseguro, como todos.

¿NO HAY PERSONAS QUE TENGAN UNA BUENA IMAGEN DE SÍ ?

Sí, pero logran forjarse una elevada autoestima esforzándose en ello, día por día. Es irónico, pero incluso las personas que más admiramos por sentirse ineptas. El futbolista estrella olvida su talento para el deporte y desea la inteligencia de su hermano. El hermano inteligente concede poco valor al hecho de haberse recibido como médico y desearía que las mujeres lo encontraran tan encantador como a su hermano el deportista. Ambos quisieran ser tan ricos como el tío Charlie, y Charlie quisiera...

Ésta es la clase de existencia alrevesada que vivimos. Para nuestra "desgracia", resulta que siempre el pasto crece más verde en el jardín del vecino.

¿Y QUÉ DE LAS PERSONAS QUE SIEMPRE PRESUMEN Y DICEN SER LAS MEJORES?

Sin duda, te has topado con ese tipo de personas que se creen el centro del universo —las chicas que se consideran una combinación perfecta de Marilyn Monroe, Jacquie Onassis y Eleanor Roosevelt; los tipos que a los 23 segundos de conocerlos te atosigan porque se creen "los más grandiosos, los más ricos, los más sexys y los más inteligentes".

Son una prueba viviente de que existe la necesidad del equilibrio. La vanidad irrita a la gente. Los fanfarrones que resplandecen con fulgores artificiales, que no pierden de vista los espejos en las fiestas, son detestables.

No obstante, aquellos que realmente se creen perfectos —la mayoría de individuos que no cesa de relatarnos cuán maravillosos son—, en realidad tratan de convencerse ellos mismos. Se sienten tan frágiles, que admitir cualquier debilidad sería aterrorizante. Temen que si alguna vez dejaran de pregonar sus logros, los demás los conocerían como "realmente" son.

Por lo que a nosotros respecta, amarnos no implica fanfarronear: es un asunto de callada confianza en uno mismo, de autoestima atemperada con sentido del humor, de estabilidad interna.

La autoestima es un asunto delicado. Si te falta o te sobra, puedes quedarte solo.

¿DE QUÉ OTRA FORMA PUEDO SENTIRME BIEN CONMIGO MISMO?

Además de evitar las comparaciones, establecer metas asequibles y significativas y ser más considerados con nosotros mismos, hay algo más que podemos hacer.

FRANCOS CON ÉL...

LO HEMOS ANIMADO...

LO HEMOS AYUDADO
A FIJARSE METAS

LE HEMOS CONFERIDO RESPONSABILIDADES...

Y LO HEMOS ORIENTADO...

LE HEMOS ENSEÑADO A DISTINGUIR A LAS PERSONAS...

Y LO HEMOS ANIMADO A SER INDEPENDIENTE

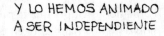

Toma nota siempre que te preocupes por los demás. De vez en cuando date una palmadita en el hombro.

Hay cientos de cosas que podemos hacer durante el día para beneficio de quienes nos rodean. Cada vez que sonríes, escuchas, invitas a alguien una bebida, recoges a tu niño en la escuela, envías una tarjeta o prestas un libro a un amigo, te estás preocupando por los demás.

HAY ESPERANZA PARA TODOS

Pregunta a cualquier persona qué cualidades admira más; es probable que enumere las siguientes: honestidad, determinación, valor, compromiso, perseverancia, abnegación, generosidad y humildad.

Observa cuidadosamente la lista y advertirás que no naces con estas cualidades; tienes que desarrollarlas. No naces valiente, honesto o abnegado; adquieres esos atributos si realmente deseas ser esa clase de persona. No se obtienen estas cualidades por *suerte*, sino que las desarrollas si son lo bastante importantes para ti.

Incluso el conocimiento y la experiencia no son cuestión de suerte y tampoco se nace con ellos. Tienes que adquirirlos.

¿No te parece emocionante? Si quieres ser más grande, fuerte, comprensivo y decidido, puedes empezar en este mismo instante. Y a medida que crezcas y cambies, se modificará la imagen que tienes de ti mismo.

EN SÍNTESIS

El mundo es como un espejo. La mayoría de los problemas que tenemos con la gente son un reflejo de los problemas que enfrentamos en nuestro interior.

No se trata de cambiar a todos los demás. *Cuando sutilmente alteramos algunas de nuestras ideas, nuestras relaciones mejoran automáticamente.*

ESPERANDO A ALGUIEN...

"YO SÓLO ESPERO QUE LLEGUE ALGUIEN QUE ME HAGA FELIZ".

Mary se siente sola y deprimida. Siente que su vida es un caos. "¡Si encontrara tan solo una persona que me aprecie, sería feliz!", piensa. Sin embargo, *¡se equivoca!*

Cuando tu vida es un desastre, las personas felices y estables tienden a evitarte. Procuran a quienes básicamente son felices y estables. Mientras Mary siga estando deprimida y triste, no atraerá sino a personas con terribles problemas. Entonces ellas duplicarán su infelicidad.

Lo mismo ocurre cuando se espera encontrar pareja. Antes tenemos que poner orden en nuestras vidas.

Los demás pueden contribuir a nuestra felicidad, pero antes debemos tener el control de nuestra vida. Cuando esperamos que alguien "llegue" a arreglar todo, estamos coqueteando con la desilusión:

• Si no llega, nos sentimos más deprimidos.

• Si llega pero no se comporta como quisiéramos, ¡entonces sí que nos deprimimos! Lo culpamos y le decimos: "¡se supone que tú debes hacerme feliz!".

Las personas que disfrutan relaciones satisfactorias y estables son seres equilibrados. No andan en busca de alguien que "llene un hueco". Reconocen su propia valía.

ENTONCES ¿QUÉ HAGO?

Que nos sirva de lección el caso de Mary. Está sola, deprimida y se siente rechazada. No comprende por qué la gente la excluye de sus planes.

Quizá no ha notado que siempre espera que otros la llamen, tomen la iniciativa, la inviten a salir y le insistan que los acompañe. La gente se harta de insistir. Le gusta que uno demuestre entusiasmo.

Tienes que notificar al mundo que estás listo para participar en la vida. El primer paso para hacer amigos es estar dispuesto a salir y conocer gente. No podrás conocer a personas fascinantes si te limitas a deambular entre el refrigerador y la televisión de tu casa.

Mary podría tomar la iniciativa, coger el teléfono y llamar a ciertas personas... "¡Hola, Karen! Tal vez no te acuerdes de mí, pero vivo enfrente de tu casa. ¿Te gustaría ir a comer pizza?" "Hola Ted, tengo ganas de pasear en bicicleta, estudiar, o volar en planeador este fin de semana. ¿Quisieras venir conmigo?"

El mundo está lleno de personas que sí han superado su timidez (o su arrogancia) y han abierto nuevos horizontes. Si planeas hacer cambios y ganar amigos, prepárate para ocasionarles tanto desilusiones como rechazos. No dejes de esforzarte y te aseguro que recibirás tu recompensa.

Para evitar las decepciones, establece amistades sin esperar nada a cambio. Algunas personas corresponderán a tu cariño y atenciones, y otras no lo harán. Si te preocupas por los demás porque así lo deseas, no te afectará el que no te devuelvan el afecto o el favor. El Universo es justo. Si brindas amor y abnegación, cosecharás buenas cosas, aunque no necesariamente cuando las esperas o de donde las esperas.

EN SÍNTESIS

Todos debemos reconocer nuestro propio valor. Si para ello dependemos de otros —y ellos no lo reconocen—, viviremos constantemente decepcionados.

• Solo podemos dirigir cumplidos a nuestra pareja si somos personas íntegras.

- Si te sientes solo y deprimido, de nada te servirá encontrar quien te aprecie o te quiera. Busca a quien puedas ofrecerle tu amistad sin esperar nada a cambio.
- Si deseas conocer gente nueva y hacer nuevos amigos, *toma la iniciativa*.

TOMARSE UNO MISMO DEMASIADO EN SERIO

John había usado barba por largos años, pero un buen día, pensó en rasurársela. No obstante, la idea del cambio le provocaba aprehensividad y se preguntaba: "¿qué dirán todos mis amigos y colegas? ¿Se burlarán de mi aspecto?"

Tras meses de deliberación, al fin hizo acopio de valor y se rasuró toda la barba, salvo el bigote. Temiendo lo peor, llegó a su trabajo al día siguiente. Para su sorpresa, nadie comentó nada sobre su nuevo *look*. A decir verdad, para la hora de la comida todavía nadie le había hecho comentario alguno.

Finalmente, no pudo resistir más. Él mismo sacó el tema a colación:

—¿Qué les parece mi nuevo *look?*

—¿Cuál *look?*— preguntaron sin inmutarse.

—¿Qué no me notan algo diferente?

Siguió un prolongado silencio, mientras todos lo escudriñaban de pies a cabeza. Finalmente alguien exclamó: "¡Ya sé! ¡Te dejaste crecer el bigote!"

¿No es verdad que podemos tomarnos tan en serio, tornarnos excesivamente aprehensivos y pensar que todo mundo nos observa, aunque nadie se percate siquiera de nuestra existencia?

Tomarnos muy en serio puede significar también que intentemos desesperadamente impresionar a los demás. Por ejemplo, Nina se pasa dos horas acicalándose antes de salir de casa. Es toda una ordalía decidirse por el traje azul o el vestido de satín, por los zapatos negros o las sandalias blancas. Se prueba 11 collares diferentes y unos 17 pares de aretes, antes de lograr el efecto deseado. Mira a su marido y pregunta: "¿Cómo me veo?".

—Sensacional.

—¿Seguro?

—Te ves preciosa.

—¿No se ve muy anticuado el peinado?

—No. Está perfecto.

—¿No es demasiado oscura la pintura de labios?

—Se ve espléndida.

—¿Estás seguro de que me veo bien?

—Te ves increíble.

Entre la puerta de la casa y el automóvil, Nina decide regresar rápidamente a su recámara para cambiarse los aretes. Dos o tres veces durante la velada repite para sus adentros (y a veces también lo dice al oído de su marido):

—Hubiera sido mejor que me pusiera los aretes de perlas.

—No tiene importancia— responde su marido, y entonces Nina se siente ofendida.

Hay un límite después del cual la preocupación por la apariencia personal se torna obsesiva. A Nina no le interesa ni remotamente hacer amistades, más bien lo que pretende es impresionar a la gente. El mundo de Nina gira alrededor de sus zapatos, su ropa, sus joyas y ella misma. Cuando los demás se comportan distantes, se imagina que los ha intimidado o que le tienen envidia. En realidad, a ellos les parece terriblemente fastidiosa y aburrida.

Con extraordinaria frecuencia las cosas que para nosotros son de colosal trascendencia, no le importan un pepino al resto de la humanidad. Brian tiene un barro en la punta de la nariz, por lo cual se condena a una semana de confinamiento solitario. ¿A quién le importa?

EN SÍNTESIS

Acuérdate de las personas con quienes te encanta convivir. Lo más probable es que se trate de gente que sabe reír de sí misma. Esta clase de personas son más divertidas, tienen más amigos y menos úlceras.

Cuando nos mostramos demasiado aprehensivos, los demás se sienten abochornados y finalmente provocamos que desaparezcan del horizonte.

Cómo ponerte en orden

Una vida dulce es una experiencia compartida.

LA DISTANCIA QUE MANTENEMOS

"TODOS ESTAMOS TAN JUNTOS PERO MORIMOS DE SOLEDAD."

Dr. Albert Schweitzer

Piensa en el estilo de vida del siglo XX. Muchos vivimos en altos edificios de departamentos, donde nos topamos con el vecino una vez al mes en el vestíbulo de la planta baja. Otros vivimos en suburbios, rodeados por altas rejas y sistemas de seguridad. Tenemos números telefónicos secretos y perros guardianes en la puerta. Conscientemente eliminamos la posibilidad de un encuentro infortunado, pero al mismo tiempo coartamos muchos posibles encuentros gratos.

Totalmente aislados, pasamos tres horas al día en embotellamientos de tránsito. Hablamos con la computadora. No visitamos a los demás; les enviamos un fax.

Las tiendas departamentales han sustituido al estanquillo de la esquina. Las cenas frente a la televisión han sustituido a las cenas familiares; o sencillamente cenamos al pie del refrigerador.

Cuando acudimos a sitios públicos, posamos la mirada en el techo o en el piso. Éste es el recurso convencional para fijar distancia en el elevador, en el metro y en los supermercados.

Vemos cuatro horas diarias la televisión, solos. No importa si hay otras personas en la habitación, lo que nos interesa es el programa televisivo. Por si no fuera bastante, contamos con videocaseteras: si no nos agrada la programación, podemos zamparnos la película que nos apetezca.

¿Todo esto es malo? No, no necesariamente es malo. Vivimos una época muy emocionante (y confortable), pero debemos estar conscientes de lo que ocurre. Existen innumerables presiones que nos alejan de los demás. Si deseas contacto personal en estos tiempos, tienes que desarrollar un gran esfuerzo.

Una vida dulce es una experiencia compartida. Nuestras grandes alegrías, nuestros bellos momentos, los grandes retos y las mejores épocas de la vida, son básicamente aquellas que compartimos con otros. Muchas de nuestras mayores experiencias de aprendizaje proceden de la convivencia con las personas.

Para lograr una estancia memorable en este planeta debemos prepararnos para derribar ciertas barreras; hacer un esfuerzo especial para conocer, convivir y acercarnos a los demás.

Tenemos que hacer el esfuerzo de dedicarle tiempo a los demás y hacer de ello una prioridad. La marea tecnológica siempre nos arrastra en dirección contraria.

DEJA DE JUGAR JUEGUITOS

Nadie puede arreglárselas enteramente solo, aunque a veces lo finjamos. Aparentamos que podemos.

Es una lástima cuando la arrogancia se interpone. Jane afirma: "llamaría a Bob, ¡pero no quiero que crea que me gusta!". Bob piensa: "estoy loco por Jane, ¡pero jamás se lo diría!". Se pasan los fines de semana sin compañía; orgullosos, pero solitarios.

Nada tiene de vergonzoso aceptar que la compañía de otra persona es deseable o grata. Aunque ellos no te aprecien, no tiene nada de vergonzoso. Si a ti te agrada alguien a quien tú no le agradas, no hay problema. No tienes que esperar a ver si te retribuyen por el aprecio que les tienes. Puedes decirlo abiertamente: "¿sabes, creo que eres una persona fabulosa? Independientemente de lo que opines de mí, ése es el concepto en el que te tengo."

La alegría de la vida deriva de expresarnos, de correr riesgos, de aventurarnos. No todo el mundo te amará, pero tú sí puedes amar a quien desees.

Toda la semana John se hace la ilusión de ver a su novia. El jueves por la noche pule su auto, se viste con la camisa que más le agrada y se pone su mejor colonia; atraviesa 40 kilómetros de calles y avenidas, llama a la puerta de la casa de su novia y dice: "¡Hola! Fíjate que pasaba por aquí..."

Caramba, John, dile la verdad. "He estado esperando una semana este momento. No podía seguir aguardando para verte; todo el camino a tu casa me la pasé cantando canciones de amor." Confiésale que estuviste a punto de llamarla en 20 ocasiones, pero temiste que te creyera un tonto.

Para esta clase de honestidad se requiere un poco de valor y es parte de la plenitud de un ser humano. Nos permite explorar nuestro interior. Suscita nuevas relaciones y aviva las viejas.

Quizá pienses: "¿Pero no debería mejor darme a desear; hacerme del rogar?". Pues bien, ésa es una manera de actuar, pero existen formas mejores de vincularse con la gente; por ejemplo, ser tú mismo, ser abierto.

ES QUE NO QUIERO QUE ME LASTIMEN

¿No te parece una magnífica excusa? "No quiero que me lastimen, no deseo involucrarme demasiado porque, eventualmente, mi pareja me dejará o se morirá, y entonces yo quedaré hecho pedazos." Por supuesto que sufrirías, pero es mucho mejor sufrir con la idea de que le diste todo lo que podías ofrecer.

Los únicos que realmente sufren son aquellos que saben que las cosas pudieron haber sido mucho mejores, mucho más emocionantes, mucho más bellas; pero no lo fueron.

CÓMO ATRAER A LOS DEMÁS

Cierto personaje se quejaba con un amigo: "siempre me ocurren desgracias, y la gente siempre me echa tierra. ¿Por qué será?"

Su amigo reflexionó un instante y respondió: "¡es que eres de los que todo les sale mal!".

¿No es verdad que todos conocemos personas a quienes sus amigos siempre les "echan tierra"? ¿No es verdad que otros siempre están rodeados de amigos que los apoyan, y que hay personas que siempre son tratadas con respeto?

¿Por qué a unos nos tratan bien y a otros los tratan mal? Al parecer existen dos posibilidades fundamentales. Ya sea que:

a) Todo se deba a la suerte, o

b) Que provoquemos las cosas que nos pasan; y si seguimos comportándonos de la misma manera, seguiremos obteniendo los mismos resultados.

He advertido que algunas personas tienen éxito y otras fracasan con una regularidad tan monótona, que debe haber más que suerte involucrada en ello. Investiguemos la posibilidad b.

¿CÓMO PUEDE SER QUE YO PROVOQUE LO QUE ME SUCEDE?

Desde el momento en que nacemos, empezamos a conceptualizar el mundo. Sin experiencias previas en la vida, sacamos nuestra primera gran conclusión sobre "cómo es" a partir de nuestra experiencia natal y los años de infancia subsecuentes.

Los psicólogos han llegado a la conclusión de que para los cinco años de edad, se ha formado buena parte de nuestra personalidad. Para entonces, ya hemos desarrollado algunas ideas fijas sobre

nosotros mismos y el resto del mundo; por ejemplo, "soy simpá-
tico", "soy detestable", "causo problemas", "la gente me quiere
cuando soy listo", "soy lindo", "no se puede confiar en los hombres", "soy gracioso", "la gente abusa de uno".

Albergamos de manera consciente algunas de estas creencias,
y otras se hallan sepultadas en lo profundo del subconsciente. Una
vez formadas, estas creencias nos rigen, y nos *pasamos toda la
existencia tratando de demostrar que lo que creemos es lo correcto*. ¡En
ocasiones arruinamos nuestra vida, pero al menos demostramos
que teníamos razón!

He aquí algunos ejemplos de cómo se vive tratando de que la
vida se ajuste a nuestro sistema de creencias.

MARY

Mary no se siente a gusto consigo misma. Ella espera que los demás
también tengan una mala imagen de ella y, por eso, que la traten

mal. De pronto aparece Fred, quien la trata bien. Eso la hace sentir incómoda. Ella piensa: "es demasiado amigable; el hecho de que sea amable *conmigo* quiere decir que es un tipo raro. ¡Más vale que me lo quite de encima!" Fred se da cuenta de que no es bien recibido y desaparece del mapa. Mary se lamenta: "¿por qué no conozco gente agradable?".

De pronto aparece Ted, el Terrible. Ted se ajusta al sistema de creencias de Mary. Él la maltrata, así que ella piensa que él es un chico normal. Se siente a gusto con Ted, el Terrible. Vive infeliz el resto de sus días, y puede asegurar a todas sus amigas lo siguiente: "los hombres son unos desgraciados y puedo demostrarlo. ¡Ted es el ejemplo!"

LOUISE

Louise se ha desarrollado en un ambiente de afecto y ternura: sus familiares y amigos son personas amables y cariñosas. Ella tiene una imagen positiva de sí misma.

Elige amigos afectuosos. De hecho, cuando conoce personas groseras y agresivas, se siente incómoda y busca otro tipo de compañía. Cuando se topa con un hombre que se comporta como un simio, piensa: "este tipo está mal. Sé que hay otros hombres que me tratarían mejor. Prefiero estar con ellos." Louise vive la vida comprobando su sistema de creencias: "siempre hay gente afectuosa con la cual convivir". Louise deja los simios a Mary.

MARTÍN

Martín ha crecido como una persona independiente. Sus padres le ofrecen poco apoyo y ha aprendido a valerse por sí solo. Todo mundo piensa: "Martín es muy independiente, no necesita ayuda de nadie". Martín mira a su alrededor y reflexiona: "nadie me apoya; si deseo algo, tengo que lograrlo por mi cuenta".

Martín ha iniciado un negocio. Contrata a personas que en realidad no le apoyan, porque él cree que "la gente inútil es normal". Cuando sin querer contrata a alguien útil y lleno de motivación, invariablemente ocurre un choque de personalidades. Y a Martín le parece que se trata de una persona encimosa y que pretende "comerle el mandado". Los buenos empleados se marchan y los inútiles permanecen. Martín prosigue haciendo el trabajo de todos.

Y de pronto aparece Millie, una joven inepta. Se enamora del esforzado y trabajador Martín. Combinan a la perfección; ella lo admira y él se encarga de resolverle todo. Cuando Millie le pregunta a Martín su opinión sobre la especie humana, él dirá sin titubear: "la gente es inútil, a mí me consta. Yo vivo rodeado de inútiles."

JOHN

Veamos el caso de John, quien se mete continuamente en dificultades.

John era vecino mío, y hace algunos años fuimos juntos a un bar. Habíamos estado en el hogar aproximadamente 20 minutos, cuando advertí que en un extremo del bar había una pelea. Estaban estrangulando a un sujeto, y para mi sorpresa se trataba de John.

Me acerqué y cortésmente pedí al estrangulador que soltara a mi amigo. Eventualmente accedió, y John y yo partimos hacia otro lugar. Llegamos al segundo sitio y yo me dirigí al sanitario. Al salir vi a una muchedumbre linchando a alguien. ¡Era nuevamente John!

Mientras lo arrastraba hacia el auto, me señaló otro sensacional club nocturno que deberíamos visitar. Me explicó el motivo de los pleitos: "todo el mundo te quiere atacar, tienes que pegar primero".

John espera que los demás se comporten agresivamente. Él se fija solamente en las personas pendencieras. Trabaja en una compañía llena de gente que quiere golpearlo, y acude a centros nocturnos donde lo apalean; todo ello en conformidad con su sistema de creencias. Le resulta sumamente doloroso, pero también John vive corroborando sus creencias.

"¡Yo sé que tengo razón!", eso es lo que pensamos, pero estamos tan involucrados en nuestra propia situación, que en realidad no nos damos cuenta de lo que ocurre. Tener *razón* se convierte en algo más importante que ser felices.

¿QUÉ DE LAS SITUACIONES SOBRE LAS QUE NO SE TIENE CONTROL?

Podemos ejercer sobre nuestras vidas mucho mayor control del que quizá reconozcamos. A nivel consciente, incluimos o excluimos personas de nuestra vida, pero también lo hacemos subconscientemente. Nuestra mente es como un magneto y, dependiendo de nuestros pensamientos, atraemos a cierto tipo de gente a nuestro mundo.

Reflexiona en lo siguiente. ¿Alguna vez pasaste la mañana entera pensando en un viejo amigo y te topaste con él en la calle esa misma tarde? ¿Has deseado *no* encontrarte a alguien —una ex novia o a tu madre— y en seguida te topas con esa persona en las circunstancias más insólitas y bochornosas? ¿Después de una etapa depresiva, has conocido un grupo de amigos maravillosos y motivantes?

Nuestros pensamientos pueden atraer personas hacia nosotros. Si crees que todo mundo quiere abusar de ti, encontrarás personas que lo hagan, o ellos te encontrarán a ti en la calle, en el parque, en la cabina telefónica, en el avión. Y si consideras que la gente es amable, amigable, por *alguna* razón la mayoría de las veces te toparás con personas así.

En el caso de Mary, no solo prefiere aferrarse a los "Teds" de este mundo, sino que tiene una especie de radar interno para detectarlos. Si hay un Ted en la fiesta, ella lo olfateará. De la misma manera, Louise encontrará a su gente, Martín la suya y John sabrá por intuición dónde pueden partirle el cráneo.

¿A DÓNDE NOS LLEVA TODO ESTO? ¡NO PARECE JUSTO!

La vida es un aprendizaje continuo, y una de las lecciones más importantes son las relaciones humanas. Si no aprendemos, tenemos que repetir el curso. A veces se repite el curso con la misma persona, o a veces con otra.

Por ejemplo, para Martín la lección puede ser aprender a depender de otros. Quizá el día que sepa respetar y dirigir a otros dejará de trabajar como bestia. Si jamás cambia de actitud y de creencias, pasará el resto de la vida creando situaciones en las que él se ocupará de todo el trabajo (¡y demostrando que tiene razón!).

Asimismo, Mary y John pueden optar por encerrarse en sus propios esquemas personales, o cambiar sus actitudes y, en consecuencia, las experiencias de sus vidas.

EN SÍNTESIS

Mientras sigas siendo frenado por un sistema de creencias, no cesarás de crear oportunidades para corroborarlo. En cuanto rompas con esas viejas actitudes, no tendrás que seguir aprendiendo la misma lección de siempre, y tu vida cambiará.

DEJA DE PASAR EL PAQUETE A LOS DEMÁS

Si te invito a cenar y me paso la noche culpando a mis parientes, a mi jefe, a mis vecinos —y a ti— por la vida miserable que llevo, no vas a desear salir conmigo otra vez, ¿no es cierto?

Si decides salir conmigo, será porque esperas que yo te alegraré la existencia; que te *sentirás bien* estando conmigo.

Por tanto, he aquí una buena razón para dejar de encontrar todo el tiempo defectos en todo: tus amigos se hartarán de ti rápidamente. La otra razón para asumir la plena responsabilidad de nuestras vidas es: mientras sigamos culpando a otros, nuestra propia existencia jamás funcionará.

Cuando tienes tres años de edad, echarle la culpa a otros es una útil estrategia. Si culpas a tu hermano de haber roto la ventana de la recámara, el problema es para él y tú te evitas las nalgadas.

Pero más adelante en la vida, el problema no es el castigo. Cada vez que le echas la culpa a alguien dejas de aprender y no ocurren cambios.

Piensa en las parejas a punto de separarse, entrevista a un hombre de negocios fracasado, habla con un estudiante reprobado, y escucharás frases como las siguientes:

"No es mi culpa."

"No lo puedo evitar."

"Fue culpa del profesor."

"Debiste habérmelo dicho. Tú tienes la culpa."

"Nadie más me entiende."

"Es culpa del gobierno. Deberían hacer algo."

"Me decepcionaron."

"A nadie le importó."

"Es culpa de mi madre."

Son palabras de gente derrotada, donde el común denominador es el siguiente: "yo no tengo la culpa de esta situación, así que no voy a corregirla". Desafortunadamente, si culpamos a otros, el problema jamás se resolverá, de manera que los detractores permanecen en un estado de frustración e infelicidad.

LA GENTE FELIZ ASUME TODA LA RESPONSABILIDAD

Si deseas amistades felices, tienes que asumir la responsabilidad. Incluso si realmente crees que por culpa de tus padres has tenido dificultades para afrontar la vida, de ti depende hacer algo al respecto en este momento. Si todos tus profesores eran unos buenos para nada, y apenas si sabes leer y escribir, responsabilízate de la situación. Si trabajas con un grupo de personas que te hacen perder los estribos, depende de ti conservar la felicidad. Si *tú mismo* no arreglas tu vida, ¿quién crees que lo debe hacer por ti?

Es fácil caer en la trampa de culpar a los demás. *Nadie puede hacerte infeliz sin tu consentimiento.* No importa lo que hagan ni lo que digan, tú decides cómo reaccionar. Si tu jefe te despide o tu cuñado te dice que estás demasiado gordo, no te hacen infeliz. Sencillamente te han planteado alternativas de reacción.

No pasarle "el paquete" a los demás también implica asumir la responsabilidad de nuestros actos. ¿Qué tan seguido juegas al inocente? Solemos usar frases como: "Es que entré en una crisis", "Es que no pude hacer nada". Generalmente la verdad no es que no *pudiste*, sino que no *quisiste* hacer nada.

Si somos honestos con nosotros mismos, siempre, eligiremos todo en la vida: amistades, trabajo, pareja, pensamientos. Así empezaremos a vivir más plenamente.

Conozco a un profesor universitario que se considera muy inteligente. Trabaja 70 horas semanarias y aborrece cada minuto de su trabajo. En alguna ocasión me confesó: "detesto mi trabajo y estoy atrapado en una competencia de perros, pero ¿qué puedo hacer?".

¿Qué puede hacer? *¡Tomar medidas al respecto! ¡Dedicarse a otra cosa!* Tiene la vida por delante. A los 50 años de edad es un profesor de excelente nivel y no ha pensado cómo dedicar su tiempo a una actividad que disfrute. ¿Te parece muy inteligente? Finge no tener alternativas, así que se niega a cambiar de actitud o de empleo.

TÚ DECIDES CÓMO TE SIENTES

Una manera de lidiar eficazmente con la gente es no permitir que te hagan sentir mal. La infelicidad puede ser contagiosa. A veces los demás insisten en que deberías sentirte deprimido.

Hace poco robaron en mi casa. Los ladrones se llevaron una

videocasetera, 200 dólares en efectivo, un cerro de "morralla" y una vieja maleta.

Después de la molestia normal al enterarme del robo, decidí que ningún ladronzuelo me arruinaría el día. Fue una experiencia irritante, pero también iluminadora. Pensándolo bien, me hizo un favor al llevarse esa maleta.

¿Cuál crees que fue el mayor problema? ¡La gente quería que me sintiera deprimido! Mi amigo Jim se enteró e insistió en que yo debería sentirme perturbado.

Jim quería consolarme, y no quise silenciar con rudeza a un amigo que creía estarme reconfortando. Le dije: "Jim, ya sabes que me robaron y creo que estás enterado de todo lo que pasó. También sabes que quisiera olvidarme de este incidente desagradable lo más pronto posible, así que te agradezco tu preocupación y ahora déjame comentarte algo mucho más interesante…" Jim me hizo "el favor" de relatar el incidente a sus amigos y poco después fueron desfilando por mi casa muchas personas que, con caras largas, me decían: "supe que te robaron. Debes sentirte de lo peor."

Con frecuencia, la intención de la gente es positiva, pero lo único que logran es hacerte sentir peor. Nosotros decidimos cómo sentirnos. ¿Alguna vez has estado trabajando, jugando o impartiendo clases, cuando de pronto llega alguien y te dice: "¡caramba, me imagino que has de estar cansado!"? Cansarte era lo último que tenías en mente, hasta que te lo recordaron.

De la misma manera, debemos defendernos contra aquellos comentarios que nos hacen sentir mal.

Tu hermano olvida tu cumpleaños y alguien te dice: "¡qué barbaridad, debes sentirte ofendido!". *Tú* decides cómo te sientes. Quizá decidas que aunque olvidaran todos los cumpleaños, eso no tendría ningún efecto negativo en tu relación con él. La estimación y el afecto no se demuestran únicamente en fechas especiales.

DÍ A LOS DEMÁS LO QUE QUIERES

Brad invita a Wendy a bailar. Poco antes de la medianoche, Wendy le confiesa a Brad: "yo no quería venir a bailar; yo deseaba ir al cine".

—¡Pero no me dijiste que querías ir al cine!—, le contesta Brad.

—Es que pensé que querías bailar. Yo quería ir al cine—, insiste Wendy.

—¡Eso ya no es culpa mía!—, agrega molesto Brad.

—Debiste preguntarme—, alega Wendy.

De nosotros depende comunicarnos claramente, y no culpar a los demás si la estamos pasando mal.

En una relación sana, los cónyuges manifiestan sus necesidades y deseos: "esto es lo que quiero", "ayúdame en esto", "quiero que escuches bien lo que voy a decir…".

Por otra parte, la gente que más nos agrada es la que no nos echa la culpa de las cosas. He ahí otra razón de peso por la cual culpar a los demás no es una buena idea: ¡a nuestros amigos les choca!

"EL MUNDO NO ME MERECE"

El síndrome de que "el mundo no me merece" se manifiesta en afirmaciones como: "¿Por qué la gente no me aprecia?", "¿Por qué nadie ha descubierto mi talento?", "La vida no debería ser tan difícil; alguien debería hacer algo al respecto".

El enfoque más sano es pensar que el mundo no nos debe nada. La vida es como un supermercado enorme, donde tú eres uno de los cinco mil millones de productos de existencia. El reto que tienes es demostrar tu valía ante la gente. Si eres valioso, serás solicitado por amigos y jefes. Si eres un lastre, vas a quedarte en el anaquel.

Como artista, he conocido a innumerables personas que luchan por tener un sitio en el medio, y culpan a todo el mundo de las dificultades que afrontan. Se quejan diciendo: "¿Qué le pasa a la gente?, ¿no saben apreciar el arte?, soy un artista, soy un creativo; ¡la sociedad debería apoyarme!".

¡Pamplinas! ¿Por qué debería apoyarte la sociedad si detestas tus cuadros?

Si deseamos disfrutar las cosas agradables de la vida, de nosotros depende manifestar nuestra valía ante los demás.

Culpar a otros generalmente se convierte en una excusa para no actuar, y la inactividad nunca le ha servido a nadie.

Da igual qué tan larga sea tu lista de acusaciones, si en ella están incluidos tus hijos, tus años de escuela, tus padres, tus podridos vecinos, el gobierno, el clima. Si eres infeliz, tu lista no te sirve de consuelo. *Los pretextos y las excusas nunca sirven de consuelo. Al final de la jornada, lo único que cuenta es si llegaste a donde realmente deseabas llegar.*

EN SÍNTESIS

Las personas sanas y felices triunfan a pesar de las dificultades, no en la ausencia de dificultades. Mientras que los "detractores" se concentran en el problema, tú te concentras en la solución. Debes preguntarte: ¿qué quiero?, ¿qué acción emprenderé para lograrlo?

La gente te dirá de cuando en cuando: "deberías estar molesto", "son tiempos difíciles", "la vida es dura", "el trabajo es una condena". Repite para tus adentros: "ésa es su realidad y la respeto, y quizá decida conversar con ellos al respecto; pero me niego a adoptarla. *Yo decido cómo me siento.*"

LA HONESTIDAD RETRIBUYE

Mary tiene un problema. Le confiesa a su amiga: "Harry quiere invitarme a salir. Me cae muy bien, pero no tenemos nada en común. No quiero ir. ¿Qué le digo?" Mary y su amiga se torturan pensando qué decirle.

No es tan complicado en realidad, Mary. Lo que tienes que decirle es: "Harry, me caes muy bien, pero no tenemos nada en común. No quiero ir." ¿No es muy sencillo? ¿Para qué complicarse la existencia?

Otra alternativa: "Harry, he estado angustiada pensando qué decirte. Incluso he consultado a mis amigas al respecto; la verdad es que me caes muy bien, pero no quiero salir contigo."

No es que la humanidad vaya a quererte más si no dices mentiras, sino que la honestidad facilita las cosas.

Por ejemplo, tu jefe te ha pedido enviar algunas cartas muy importantes, pero, en vez de hacerlo, accidentalmente las tiraste a la basura. Puedes inventar grandes historias y pretextos, pero te complicarás la vida terriblemente. Es mucho más fácil decir: "jefe, reconozco que he sido un idiota. No es fácil para mí decirle esto, ¡pero sepa que sus cartas deben estar en este momento en un tiradero de basura!"

Cuando eres honesto con los demás:

• Se te admira y se te aprecia
• Se te tiene confianza

- La gente sabe a qué atenerse contigo
- Puedes lograr más cosas

¿No es verdad que tú aprecias a las personas que son francas contigo?

Hace poco vino a verme un individuo. Durante cerca de dos horas se dedicó a hacerme preguntas: "¿a qué te dedicas ahora?", "¿estás ocupado?", "¿tienes trabajo?", "¿como van las cosas?". Pensé que se trataba de una visita de tipo social. Días más tarde me enteré de que acababa de quedarse sin empleo y que buscaba trabajo. Si me hubiera dicho: "me quedé sin empleo y quiero trabajar", podría haberlo ayudado. ¿No te parece extraño? El tipo ni siquiera me dijo que quería trabajo. Por lo pronto, no tuvo con qué pagar la renta.

Si deseas algo, dilo. "Quiero que me ayudes", "quiero que me prestes 100 dólares", "quiero que dejes de fastidiarme". Si quieres invitar a salir a alguien, díselo. "Eres la persona más fascinante de la fiesta. Me gustaría invitarte a salir. ¿Qué dices?"

Los niños obtienen lo que desean porque lo piden. Es parte del encanto que tienen. Cuando somos honestos, como un niño, la gente también nos encuentra más encantadores.

Si ignoras algo, reconócelo. Es exasperante escuchar a profesores, colegas y padres "expertos" que pretenden conocer las respuestas a todo. La gente siempre respeta a quien es capaz de decir: "no lo sé".

EN SÍNTESIS

Debes tener tacto y decir las cosas como son. La honestidad para con otros es señal de que los respetas y de que te respetas tú mismo.

CÓMO EXPRESAR ENOJO

Es natural sentir enojo de vez en cuando. Desafortu...
la mayoría de las personas aprendemos que no es bueno mo...
padres y profesores no saben cómo lidiar con esta situación y
muestran torpes y abochornados ante alguien que grita y vocifera.

Por tanto, a la mayoría se nos ha enseñado a no enojarnos, a no
gritar lo que nos molesta. En vez de ello hemos aprendido a
castigarnos solos.

Ejemplo: Tú y yo pasamos una velada juntos. Tú no paras de
hablar y yo no puedo decir palabra. Me siento molesto y frustrado.

¿Acaso te digo: "estoy molesto porque…"? ¡No! Eso no sería
prudente, así que mejor me emborracho y me dedico a rabiar una
semana entera por tu comportamiento.

Ejemplo: Prometes que pasarás por mí al trabajo a las cinco de la
tarde, llegas a las siete. Estoy molestísimo porque no respetas mi
tiempo. ¿Pero acaso te digo: "estoy molesto porque…"? Probablemente no. Eso no sería prudente. De manera que me paso la
noche criticando tu ropa, tu trabajo y a tus amigos y logro echar a
perder la velada para ambos.

Ejemplo: Al parecer no te interesa nada de lo que yo hago.
Siempre que trato de hablar de mis aficiones o planes, cambias de
tema. Yo sé que la gente prudente no se enoja, así que entonces me
deprimo durante una semana o tal vez un año o dos.

Con la depresión experimento dolor de cabeza y malestar
estomacal, negligencia y otras cosas. Ahora estoy enfermo, ¡pero al
menos no me enojé!

Ejemplo: Hay muchas cosas y personas que me molestan. Pero
no quiero enojarme con ellas porque entonces no me querrían. Así
que me dedico a comer. No puedo expresarme, así que me castigo.

He simplificado los ejemplos anteriores, pero se trata de patro-

conducta comunes. Quizá sea difícil expresar la ira, y puede
star a otras personas temporalmente pero cuando manifesta-
s nuestro enojo existe la posibilidad de solucionar el problema.

ASÍ QUE ¿CÓMO PUEDO EXPRESAR MI ENOJO?

En ocasiones a los demás no les agradará, pero lo haces por el bien
de todos. Por otra parte,

* Asume la responsabilidad de tus sentimientos.
* De ser necesario, espera unos minutos (o una hora) para que te
serenes y puedas hablar con la mente clara.
* Aun hasta donde te sea posible, debes ser positivo con la otra
persona. Por ejemplo: "En verdad aprecio que vengas a recogerme
al trabajo, pero si llegas dos horas tarde me haces enojar. No te
critico, solo quiero que sepas cómo me siento."

Conservas pleno control sobre tus emociones

Es una medida inteligente alejarse del problema mientras transcurre el período de serenamiento.

En ese momento también es importante que reconozcas que no
te has replegado para recobrar fuerzas y lanzarte con renovados
bríos a la guerra. Tu meta es resolver el conflicto, no salir airoso con
la victoria.

Es razonable expresar enojo sólo si conservas una actitud racional

Es importante ceñirse únicamente a aquello que ha provocado el
agravio. Ello tiene por objeto delimitar los alcances de la dificultad.

Recuerda, lo que buscas es una solución, no una victoria. No te remontes a acontecimientos pasados que se han resuelto o archivado mucho tiempo atrás.

Ten cuidado de no involucrar otras circunstancias o personas, por muy relevantes que puedan parecerte en ese momento. Dichas tácticas son siempre recursos baratos para anotarse puntos. Inevitablemente complican las cosas, dificultan muchísimo las soluciones y dejan grandes cicatrices en las relaciones.

EN SÍNTESIS

Quizá a los demás no les agrade que te enojes con ellos, pero pronto se recuperarán y surgirá un mejor entendimiento entre ustedes.

Cuando no expresas tu disgusto —y en lugar de ello te castigas—, el problema subsiste y el daño es mucho peor.

CAPÍTULO 3

Simplifica tu vida

*Lo que los demás piensen
de ti no es asunto tuyo.*

NUESTRAS EXPECTATIVAS

TÚ ERES RESPONSABLE DEL TRATO QUE RECIBES

Si no te gusta cómo te trata la vida, actúa de otro modo; solo de ti depende que la gente aprenda a tratarte como quieres. Con demasiada frecuencia le echamos la culpa a los demás. Si tu sociedad fracasa o tu matrimonio se viene abajo, también tú tienes la culpa. Si todo mundo abusa de ti, tú tienes la mitad de la culpa.

Considera el caso de Helen, quien es pisoteada por su marido. Ella se lamenta: "mi marido, Brutus, me trata como a un trapeador. No hago más que recibir órdenes de él. Jamás me ayuda en casa y solo salimos a donde él quiere. Brutus nunca me da dinero para mí. Me trata como basura y no valora nada de lo que yo hago." Helen padece el clásico complejo del mártir: "¿qué habré hecho para merecer esto?".

"¿Por qué no te le plantas a Brutus?", le preguntamos a Helen. Y ella responde: "una vez lo hice, y él perdió los estribos y atravesó la puerta del baño de un puñetazo. Entonces me di cuenta que no valía la pena hacerlo enojar. Simplemente me conformo con lo que él quiera".

Quizá Helen no se dé cuenta, o no lo quiera admitir, pero ella es la que ha entrenado a Brutus. Te garantizo que él no hostiga a todo mundo; solo a quienes se lo permiten. Hasta este momento, Helen ha preferido la opción más fácil; rehuir la responsabilidad, ser débil, guarecerse en la comprensión de sus amistades, echando toda la culpa a Brutus, el Bárbaro. Si Helen modificara su manera de reaccionar ante su marido, ¡Brutus pronto quedaría domesticado!

¿Qué debería hacer Helen? En primer lugar, podría empezar a respetarse. *Los demás nos respetarán en la medida en que nosotros mismos nos respetemos*. Cuando Brutus perciba que Helen espera un buen trato, empezará a cambiar su proceder. Las personas que son pisoteadas por todo el mundo llevan un letrero que dice: "Estoy seguro de que me vas a maltratar; yo te lo permitiré; y después te culparé por haberlo hecho".

Helen dispone de innumerables opciones. Ella podría señalar: "Brutus, si rompes una puerta otra vez, desapareceré un mes de la casa", y debe estar dispuesta a hacerlo. Con toda serenidad puede decirle que de ahí en adelante espera ser tratada como persona.

En todas las relaciones se necesitan dos para hacer un tango. Ambas partes son responsables, y ambos sacan cierta ventaja del papel que juegan. Con su actitud, Helen evita las responsabilidades y las decisiones de peso, y puede echarle la culpa de todo al bueno de Brutus. Éste, por otra parte, tiene una esclava, se sale siempre con la suya y también puede echarle la culpa de todo a su esposa.

Se necesitan dos para hacer funcionar una relación y también dos para arruinarla. Sin embargo, por alguna razón, es más fácil evaluar objetivamente los problemas de otra pareja que los de la nuestra. Conozco un matrimonio que vive al borde del divorcio. Ella prefiere no estar nunca en casa. Él se la pasa leyendo novelas y durmiendo. Ella jamás cocina ni arregla la casa. Él considera que la comida debería estar sobre la mesa en cuanto regresa de la fábrica. Jamás hay nada de comer, así que él aúlla, vocifera y hace estropicios en la casa. Él opina que vive con una bestia haragana y buena para nada. Ella piensa que se ha embarcado con un loco y que toda la culpa es de él. Pero en realidad, cuando pensamos que toda la culpa es de la otra persona, *no es así.*

En cualquier vecindario puedes toparte con familias donde el niño es el que manda. Profieren a sus padres órdenes tales como: "¡Papá, trae mis calcetines!", "¡Mamá, dame pastel!", "¡Plancha mi camisa!", "Quiero que me lleves a jugar beisbol *¡en este instante!*". "¿Qué hicimos para merecer esto?", se preguntan los padres.

Respuesta: se dedicaron a complacer todos los caprichos de sus hijos durante 15 años. Enseñaron a sus hijos a tratarlos ¡como a verdaderos esclavos!

Tú tienes que educar a tu hijo. Si un pequeño de ocho años puede manejar una computadora, también puede utilizar una máquina lavaplatos. Si tiene habilidad suficiente para patinar, también puede planchar una camisa.

¿Alguna vez has escuchado a una madre decir: "en mi casa nunca nadie me agradece nada"? ¿A qué se debe? A que la madre jamás se da su lugar y no enseña a sus hijos cómo tratarla. Ella se queja: "Mis seis hijos ya son mayores y están casados. Ni una sola vez en la vida me dieron gracias de nada."

Qué distinto habría sido si hace muchos años ella hubiera dicho a sus pequeños: "En esta familia decir *gracias* es señal de aprecio y respeto. Cuando les preparo de comer espero que me den las gracias. Si mañana se les olvida darme las gracias, ustedes van a cocinar pasado mañana. Si no me dan las gracias cuando los lleve al beisbol, la siguiente vez van a tener que ir a pie." Suponiendo que ella se apegara a su palabra, ¿no es cierto que los niños aprenderían buenos modales de inmediato?

CÓMO LIDIAR CON GENTE IMPRUDENTE

¿Alguna vez han llegado a tu casa visitantes que no advierten cuándo es prudente retirarse? Quizá se quedaron aun hasta las cuatro de la mañana, o hasta la Navidad. Debemos aprender a manejar a esas personas sin tensionarnos.

Algunas personas acaparan tu tiempo. Si quieres dedicárselo, perfecto. Pero evita las situaciones en que les dedicas tu tiempo, les sonríes y más tarde guardas rencores contra ellos durante una semana. No hay que confundir la cortesía con el sacrificio personal.

Hay personas dispuestas a aburrirte mortalmente narrándote historias interminables que ya has escuchado docenas de veces. A menos que tomes medidas para reorientar la conversación o pedirles que abrevien sus dramas, no tendrán misericordia contigo. Desde luego, debes ser cortés y amable, pero si tu vecino Frank empieza otra vez con la eterna crónica de su operación de próstata, quizá querrás silenciarlo.

Respeta tu propio tiempo y, sin dejar de ser cortés, siéntete con el derecho de defender tu posición. "Frank, te agradezco que te tomes el tiempo de contarme esa historia. Quizá te sorprenda saber que ya me la has contado antes", o bien: "no dispongo ahora de mucho tiempo, preferiría que me contaras la historia solo a grandes rasgos".

Lo mismo en el caso de los quejumbrosos y plañideros, no tienes por qué someterte a sus interminables quejas. Manifiesta tu postura. Tal vez puedes decir: "No me parece que tu manera de ver las cosas en este momento sea de provecho ni para ti ni para mí. Te propongo que busquemos un enfoque constructivo para resolver el problema."

A ciertas personas les fascina hacerte sentir culpable: "de no haber sido por causa tuya... Me estás decepcionando... Después de todo lo que yo he hecho por ti..." El sentimiento de culpa es destructivo. Hazles ver lo que provocan preguntándoles abiertamente: "¿No querrás hacerme sentir culpable, verdad?". Por lo general, captarán el mensaje y dejarán de insistir.

EN SÍNTESIS

Si los demás no te tratan con respeto, acaparan tu tiempo o te pisotean, pregúntate: "¿qué

estoy haciendo para revocar que la gente me trate así?". Si quieres que ellos cambien, *tú* tienes que cambiar.

DEFIENDE TU POSTURA

Si permites que tus seres queridos abusen de ti, acabarás teniéndoles rencor.

¿Dónde está la línea que separa una actitud firme del comportamiento agresivo? ¿Cuándo adoptamos una postura justa y cuándo ofendemos?

La línea puede ser muy tenue, pero una cosa es cierta: actuar con firmeza es un deber para contigo mismo y para con tus seres queridos. Cuando interiorizamos nuestros problemas y jugamos el papel de "víctima", nos encaminamos hacia problemas muy serios.

Actuar con firmeza no es cuestión de moral. No es ni siquiera cuestión de "derecho". Sencillamente se trata de que uno mismo, como persona cabal, defienda su postura.

Con frecuencia la gente habla en términos de "sus derechos". John dice: "¡tengo derecho a recibir buen trato, derecho a recibir buen servicio, derecho a ser respetado!". Pero no es cuestión de derechos. Es cuestión de lo que decidas hacer para recibir el trato que deseas.

Tu objetivo como ser humano es decidir simplemente qué es lo correcto para ti y defender tu postura. Si deseas llamarle la atención al mesero porque se le cayeron las gafas en tu sopa, correcto. Si prefieres no "hacer olas", también es correcto.

Las siguientes directrices pueden ayudarte para lograr defender tu postura:

a) *Sé objetivo*. Al quejarte de una situación, no exageres ni actúes violentamente. Por ejemplo, si tu compañero de vuelo está fumando, puedes hacerle ver: "Su humo me está molestando mientras saboreo mi comida, ¿sería tan amable de apagar su cigarrillo?". Esa manera de plantear las cosas es mejor que decir: "¡Lárguese a otra parte con su asqueroso vicio!".

Con demasiada frecuencia decimos: "¡Tú siempre llegas tarde!" o "Tú nunca escuchas!". Esa clase de generalizaciones ofende a las personas. Asimismo, es importante ser justos y precisos en nuestras evaluaciones: "Tu asqueroso humo me esta asfixiando", puede ser una exageración ofensiva.

b) Asume la responsabilidad de tus palabras. "Haces tanto ruido con el spaghetti, que no puedo comer a gusto. Me molesta que todo mundo en el restaurante se te quede viendo." Eso es mejor que decir: "Es un asco verte comer, ¡deberían sacarte del restaurante!".

Es importante reconocer que somos nosotros quienes elegimos nuestras reacciones, y que no debemos culpar a los demás. Utiliza expresiones como: "Me irrita" o "Me preocupa", en lugar de: "Me revientas" o "Eres un cerdo".

b) Sé claro en cuanto a lo que quieres. Por ejemplo: "Quiero hablar con el gerente de la tienda inmediatamente", o "Antes de pagar la factura, quiero un desglose pormenorizado de los costos de materiales y mano de obra".

Sé específico con la gente. Instrucciones ambiguas como "¡Ponte listo!", "¡Aprende buenos modales!" o "¡No seas encajoso!", no funcionan.

c) Plantea las consecuencias. Por ejemplo, al enfrentar al vecino por su música estruendosa: "Si usted baja el volumen un poco, le aseguro que yo haré lo mismo la próxima vez que tenga fiesta".

Señala las ventajas que ambos obtendrán si deciden poner manos a la obra.

Cuando decidimos actuar con firmeza, por nuestro propio bien debemos tratar a la gente con respeto, puesto que en la vida se cosecha lo que se siembra. Si el escandaloso estéreo de tu vecino te tiene en vela todas las noches, quizá ya querrás actuar con firmeza. Si baja o no el volumen del aparato dependerá mucho más de tu habilidad para comunicarte que de tus derechos y de lo que es justo.

Además, al defender tu postura, actúa firmemente. No empieces por pedir disculpas; por ejemplo: "Perdone que lo moleste, pero estacionó usted su automóvil sobre mi pie derecho". Pedir disculpas es insinuar a la gente que eres un dejado. No tienes por qué pedir disculpas; sencillamente diles lo que deben de saber.

Asimismo, tendrás mayores posibilidades de lograr mejores resultados si te quejas de una sola cosa a la vez. Lo anterior es obvio, pero a veces nos dejamos llevar por la situación; por ejemplo, si le decimos a alguien: "Deja de comer como puerco, deja de quejarte, saca la cara, deja la botella, consíguete un buen trabajo y empieza a ayudarme con la casa", quizá estaremos pidiendo demasiado al mismo tiempo. Primero arreglemos el asunto de la gula y después podremos negociar otras cosas.

ESCURRIR EL BULTO

En ocasiones, cuando actúas con firmeza, los demás tratarán de escabullirse con frases trilladas:

"Nadie más se ha quejado."

"¿No crees que es una insignificancia?"

"En este momento no tengo tiempo para discutirlo."

A estas frases debes saber responder:

"Me quejo porque me parece un asunto importante."

"No, no me parece que sea una insignificancia."
"Dime, por favor, exactamente cuándo podremos hablar."

EN SÍNTESIS

Cuando actúes con firmeza sé objetivo. Asume la responsabilidad de tus acciones y puntualiza lo que quieres. A veces ganarás y a veces perderás. Cuando ganes, habrás demostrado que puedes controlar la situación y lograr lo que deseas. Cuando pierdas, generalmente te sentirás mejor por el hecho de haber expresado tus sentimientos.

QUE LA GENTE PIENSE LO QUE QUIERA

"LO QUE LOS DEMÁS PIENSEN DE TI NO ES ASUNTO TUYO."

Hace tiempo solía ofrecer dinero por absolutamente cualquier causa. Si caminaba por la calle y alguien me ponía una charola en la nariz, echaba dinero en ella. Si una dama me telefoneaba pidiendo que le comprara tres toallas por 30 dólares, lo hacía. Si alguien llegaba a la oficina vendiendo cacahuates rancios, yo pensaba "qué asco" y le compraba tres bolsas.

Más tarde me preguntaba: "¿Por qué derrochas tu dinero?", ¡y me daba cuenta de que no tenía idea! Puede ser honroso hacer donativos a una obra de caridad, pero no era generosidad lo que me movía. Daba básicamente por temor de lo que la gente pudiera pensar de mí. No quería ser considerado un miserable, y por eso daba dinero.

Con demasiada frecuencia me preocupaba la opinión de los demás, en vez de preocuparme por lo que yo quería. Jamás reclamaba porque me servían la sopa fría en el restaurante, ni pedía a los vecinos que bajaran el volumen de la música y raras veces regresaba al almacén mercancía defectuosa. Yo creía ser amistoso, pero en realidad era un dejado. He comprobado, por experiencia, que mucha gente comparte esta necesidad de aprobación.

ORIGEN DE LA NECESIDAD DE APROBACIÓN

De niños, ansiamos la aprobación de nuestros padres: "¿verdad que soy inteligente?", "¿en verdad te gustó mi regalo?", "¿estás orgulloso de mí, papá?".

Al ingresar a la escuela sobrevivimos obteniendo aprobación. Cuando los profesores aprueban nuestro comportamiento, obtenemos buenas notas. Cuando los profesores desaprueban nuestras ideas o conducta, la vida puede complicarse. Durante la infancia se nos tiene cierta tolerancia, pero básicamente nuestro éxito depende de que los demás aprueben nuestra forma de actuar. En la adolescencia operamos conforme al principio del permiso: "¿Es correcto que haga esto?", "¿Puedo hacer aquello?".

De diversas instancias proceden las exigencias a conformarnos. Muchas organizaciones y clubes observan reglas draconianas para mantener a raya a sus miembros: "Se prohíbe estrictamente a los miembros...". También la televisión emite mensajes similares: "Más vale que uses el desodorante adecuado, que conduzcas el auto apropiado y que refresques tu aliento con *Desapestol* o todo el mundo te tendrá asco".

Al llegar a la edad adulta, hemos sido poderosamente condicionados a buscar aprobación. Cuando la gente aprueba nuestra conducta, nos sentimos contentos. Pero si no recibimos la aprobación deseada, nos sentimos infelices. Esto suscita un grave problema: ¡nuestra felicidad queda bajo el control de los demás!

Para asumir el mando de nuestras vidas y vivir a plenitud, el reto es eliminar la compulsión a recibir aprobación. A fin de cuentas, no se puede más que tener la mente en paz o preocuparse por lo que piensen los demás.

Preocuparse por lo que opinen los demás es un hábito difícil de romper, pero no hacerlo puede acarrear resultados trágicos. Frecuentemente, personas sensatas se condenan de por vida a trabajos que detestan: "¿qué diría la gente si abandonara una posición segura?". Las madres confiesan: "toda la vida hubiera querido... ¿pero qué hubieran pensado mis hijos?". Los hijos bregan durante años en la universidad tan solo por complacer a los padres: "Me revienta esta estúpida profesión, pero si la abandonara mis padres enfurecerían".

¿Te preocupa lo que los demás piensan de ti? Pregúntate tu mismo:

"¿Cuando fue la última vez que me atendieron mal en un restaurante y, no obstante, no dije nada?"

"¿A veces acepto invitaciones por temor a lo que puedan pensar si me niego?"

"Si en alguna ocasión detecto a una persona atractiva, ¿me atrevo a pedirle que salga conmigo?"

"¿Me gusta luchar por lo que quiero? Si no es así, ¿por qué no?"

"Si no me importara lo que la gente piensa, ¿seguiría en el mismo empleo, en la misma casa y con las mismas personas que ahora?"

No puedes darle gusto todo el tiempo ni siquiera a la mayor parte de la gente. Si lo que temes es que algunas personas puedan pensar que eres tonto, ¡despreocúpate! ¡Seguramente ya lo piensan!

Sin duda, tus familiares, amigos y colegas, merecen tu amor y consideración. Pero cuando intentas complacer a todos no eres sincero con nadie, y mucho menos contigo mismo.

A los cuatro años de edad, es importante complacer a la gente. Si agradamos a los demás, obtenemos lo que deseamos. Pero las cosas cambian. A los 45 tienes que ser una persona eficaz. Puedes lograr lo que desees siendo tú mismo. No tienes que complacer a todo el mundo. Las personas deben respetar tu manera de ser y aceptarte tal y como eres.

EN SÍNTESIS

Sin perder el respeto por los demás, debes ser sincero contigo mismo. Si la gente no está de acuerdo con tus ideas y estilo de vida, es asunto de ellos, no tuyo.

DEJA DE DAR EXPLICACIONES

"SER GRANDE ES SER INCOMPRENDIDO."

Emerson

¿Con frecuencia tratas de justificar tus actos? ¿Acostumbras explicar tu proceder a los demás?

Una característica de las personas con decisión y seguras de sí es la siguiente: no dan explicaciones, simplemente hacen lo que hacen.

Cuando somos pequeños, no hay otra salida. Siempre tenemos que dar explicaciones a nuestros padres y profesores, generalmente con el fin de evitarnos problemas o una buena tanda de nalgadas. Pero si queremos ser adultos felices, necesitamos pensar y actuar de manera más independiente; sentirnos *realizados, sin tener que dar explicaciones de todo lo que hacemos a nuestros parientes, amigos y vecinos.*

Obviamente, en ocasiones es preciso ofrecer una explicación al jefe o justificar nuestros actos ante nuestros socios. La persona que paga tu sueldo tiene derecho de saber qué haces y por qué. Para construir una relación estrecha con tu pareja, quizá querrás intercambiar continuamente motivos e ideas. Pero más allá de eso, ¡debemos saber que no tenemos que andar por la vida como si estuviéramos sobre el banquillo de los acusados! Estoy hablando

de convicción personal; de que tú decidas tus asuntos y nadie más. Algunas personas tienen la costumbre de indagar sobre cosas que no les incumben.

Cuando tu vecino te pregunta: "¿Por qué vendes tu casa?", tal vez prefieras responder: "porque quiero", en vez de ofrecerle una explicación sobre tendencias económicas y finanzas personales.

No tienes que ocultarle las cosas a la gente. Pero el solo hecho de que alguien te haga una pregunta no significa que les incumba o que debas responderla *a satisfacción*.

Cuando el vendedor de autos de la localidad te invita a la presentación de los nuevos modelos del año, no tienes que explicarle nada. Él te dice: "venga a ver nuestro nuevo modelo. Le va a fascinar". Tú le respondes: "no, gracias".

—¿Por qué no?.

—Tengo otras cosas que hacer, pero gracias por la invitación.

—De acuerdo, pero ocurre que este carro es dinamita pura. ¿Por qué no quiere usted venir?

"Le agradezco que se haya acordado de mí, pero no, gracias." Fin de la conversación.

¿En la actualidad justificas tus actos y ofreces a la gente explicaciones que no le incumben? No tiene nada de malo que la gente pregunte. Pero tú *tomas la decisión* y puedes responder sólo las preguntas que *tú* desees.

Cuando tu cuñado te pregunta: "¿por qué renunciaste a tu empleo?", sonríe y responde: "tenía ganas de hacerlo".

Tu vecino te interroga: "¿por qué vas al gimnasio seis veces por semana?". Tú contestas: "me hace sentir bien".

Cuando alguien te pregunta: "¿desea usted cooperar para la cruzada en favor de los caracoles de jardín?", sencillamente responde "no". No tienes que contestar: "es que hoy traigo poco dinero", o "la semana pasada doné un pastel para la causa"; solo tienes que decir "no". No hace falta explicación.

A veces te exigirán una explicación. "¡Pero es que no lo comprendo!", te dirán.

Y tú respondes: "no tienes por qué comprenderlo".

"¿Pero por qué? ¿Cómo es posible que hicieras eso?", tu interlocutor se indigna, exigiendo que expliques algo que para él no tiene sentido.

"Porque quise", responde simplemente.

La tía Rose te invita a tomar el té. "Te lo agradezco —le dices—, pero ahorita tengo mil cosas qué hacer..."

"Tu hermana va a venir."

"Ya lo sé. Y me ha dicho que tus galletas son una maravilla."

"¿Y no vas a venir?"

"Quisiera que por esta vez me disculparas, tía."

"¿Por qué no vienes aunque sea un ratito?"

"Tía Rose, de verdad agradezco tu invitación, pero tendrá que ser en otra ocasión."

Recuerda que si tus familiares y amigos íntimos te llaman, significa que te están buscando. Quieren hacer algo por ti y contigo; pensaron en ti. Esa no es por sí misma una molestia. Quizá querrás ser más delicado con tus parientes y amigos que con el vendedor de autos usados.

Si quieres hacer amigos, a veces un "no" meditado puede sonar artificioso y aun grosero. Pero puedes decir "no" de muchas maneras.

Por lo general, la gente captará el mensaje si tú respondes a su insistencia diciendo: "vamos a olvidarnos de mi suegra/auto/empleo/dinero/primer romance. Mira esas flores, ¿no están preciosas?"

Otras preguntas que no tienes por qué contestar son:

1.   ¿Por qué nunca visitas a tu suegra?

2.   ¿Por qué cuidas tanto el dinero? El dinero es para gastarlo.

3.   ¿Por qué tiras el dinero? Piensa en una época de crisis.
4.   ¿Por qué no sales con Chuck?
5.   ¿Por qué no compras un auto nuevo?
6.   ¿Por qué cambias de auto tan seguido?
7.   ¿Por qué compraste *eso*?
8.   ¿Nunca te has arrepentido de no haberte casado con Daisy?
9.   ¿Por qué sales con *él*?
10. ¿Eso es lo *único* a lo que te dedicas?

Vive como tú prefieras; dedica tu tiempo a lo que mejor te parezca.

EN SÍNTESIS

Toma tus propias decisiones. No ofendas a la gente, pero debes ser franco contigo mismo. *Si decides ofrecer explicaciones, hazlo porque deseas compartir tus pensamientos con otra persona y no porque necesites de aprobación.*

CUANDO QUIERES DECIR "NO"

En ocasiones cuesta trabajo decir "no". ¿Alguna vez has sacrificado una hermosa tarde de sábado, adquirido una estúpida suscripción, aceptado una invitación a comer, ingresado a un comité o prestado dinero sólo porque no pudiste decir "¡no!"?

Por nuestra propia salud mental y felicidad, debemos decir "¡no!" cuando nos parezca conveniente, *y no sentirnos culpables.* Decir "sí" cuando queremos decir "no" provoca irritación, depresión y rencores. *Somos felices en la medida que creemos controlar nuestras circunstancias; y asumir el control de nuestra vida frecuentemente implica decir "no".*

MANIPULACIÓN DEL SENTIMIENTO DE CULPA

¿Por qué es difícil decir "no"? A veces tenemos miedo de caerle mal a la gente si defendemos nuestra postura.

Veamos algunos ejemplos sencillos de cómo la gente nos hace sentir culpables:

Mamá dice: "me he estado sintiendo mal toda la mañana. ¿Dejarías de hacer lo que estás haciendo y hacerme el favor de ir al supermercado?"

(Mensaje: Estoy enferma, así que si tú no aceptas mi petición, eres una persona desconsiderada.)

"Si en verdad me quieres, te acostarás conmigo", le dice el chico a su novia.

(Mensaje: Si no haces lo que yo *quiero*, significa que intentas herir mis sentimientos; así que siéntete culpable.)

El jefe: "voy a trabajar aun hasta las 10 de la noche. Necesito que te quedes hasta esa hora."

(Mensaje: He decidido machacarme la cabeza, así que más vale que tú hagas lo mismo.)

Un viejo amigo dice: "debes tomarte una copa conmigo, ¿o acaso no somos amigos?".

(Mensaje: Si no haces lo que yo *quiero*, no actúas como un buen amigo.)

"Llevamos días y noches metiéndole mano a tu auto", señala tu mecánico. "Se ha hecho todo lo posible, y no puedes pedir más."

(Mensaje: no seas necio queriendo que arreglemos este cacharro. Limítate a pagarnos dos mil dólares de reparaciones y llévatelo con una grúa.)

En cada uno de los ejemplos anteriores, la otra persona señala o insinúa lo que "debes" hacer. Ellos pretenden decidir lo que es moralmente correcto: "si eres una buena persona, acudirás al supermercado, te acostarás conmigo, saldrás conmigo el fin de semana, no te quejarás de que te arruiné tu carro...", etcétera.

SÉ TU PROPIO JUEZ

La única manera de escapar al sentimiento de culpa que otros te infunden es convertirte en tu propio juez. Rehúsate a atarte a sus conceptos. Saca tus propias conclusiones y prepárate a pregonarlas. Entonces dirás a tu madre: "¿Qué tal si dejamos pendiente lo del supermercado, madre? Es muy importante lo que estoy haciendo." Puedes contestarle a tu novio: "ya veo, tú crees que debería acostarme contigo. Lo que yo opino es que…"

Algunas personas son muy insistentes:

Les dices "no", y te preguntan: "¿por qué no?".

Si les respondes "porque no quiero", insistirán: "¿por qué no?".

—Porque tengo otras cosas que hacer.

—¿Y qué hay de nuestra amistad?

—No tiene nada que ver con nuestra amistad.

—Si no lo haces quiere decir que no te importa.

—Está bien, lo haré—, aceptas finalmente.

La manipulación del sentimiento de culpa ha vuelto a triunfar.

Muchos vendedores poseen grandes conocimientos sobre la manipulación. Un vendedor llega a tu puerta y te enreda en una conversación:

Vendedor: "¿Me permite un minuto?"

Tú: "¿Para qué?"

Vendedor: "Estoy haciendo una encuesta; quisiera su ayuda."

Tú: "¿Sobre qué?"

Vendedor: "Sobre educación."

Tú: "No vende usted nada, ¿verdad?"

Vendedor: "No exactamente."

Tú: "¿Qué son esos 26 tomos que lleva ahí bajo el brazo izquierdo?"

Vendedor: "Oh, son solo libros."

Tú: "Yo los veo muy sospechosos; parecen una enciclopedia."

Vendedor: "Eso parecen, ¿verdad?"

Tú: "Antes de que prosiga, permítame decirle que no deseo comprar enciclopedias."

Vendedor: "Correcto, ¿me permite hacerle una pregunta?"

Tú "Este… sí, dígame."

Vendedor: "¿Tiene usted hijos?"

Tú: "Sí, dos."

Vendedor: "¿Se interesa usted por su educación?"

Tú: "Este… sí." (Ya has respondido a dos preguntas.)

Vendedor: "Le encantaría que ellos tuvieran ventajas de las que usted no pudo gozar, ¿no es así?"

Tú: "Supongo que sí."

Vendedor: "¿Espera usted que ellos triunfen en la vida?"

Tú: "Sí."

Vendedor: "¿Y usted quisiera ayudarles en su educación?"

Tú: "Este… sí, pero…"

Vendedor: "Usted realmente se preocupa por sus hijos, ¿verdad?"

(Mensaje: "Si en verdad te preocupas por tus queridos hijitos, gastarás todos tus ahorros en mis enciclopedias".)

15 minutos después:

Vendedor: "No se arrepentirá. Ahora es usted propietario de la *Enciclopedia Cósmica* y, afortunadamente para usted, ¡por casualidad traigo los 26 tomos de la colección bajo el brazo!"

Ahora has gastado dos mil dólares en libros que no deseas, y te preguntas cómo carambas se te ocurrió comprarlos. Para obtener lo que deseas, debes ser más tenaz que la otra persona. Si te piden algo cuatro veces, debes estar listo para decir cinco veces "no". Si te lo piden 10 veces, diles 11 veces "no".

Una de las mejores maneras de lograrlo es a través de la "Técnica del Disco Rayado". Lo maravilloso de esta técnica es que, para usarla eficazmente, no necesitas ser un gran orador. Basta apegarte a un principio: *Establece lo que deseas y no dejes que te desvíen.* Que no te manipulen; no respondas preguntas, simplemente plantea lo que deseas.

He aquí cómo debes aplicar la Técnica del Disco Rayado al vendedor de enciclopedias:

Tú: "No vende usted nada, ¿verdad?"

Vendedor: "No exactamente."

Tú: "¿Vende usted enciclopedias?"

Vendedor: "Bueno... sí."

Tú: "Antes de que me diga algo, sepa que *no quiero comprar enciclopedias.*"

Vendedor: "Usted me da la impresión de ser una persona que se interesa por los acontecimientos del mundo."

Tú: "Probablemente doy esa impresión, pero *no quiero comprar enciclopedias.*"

Vendedor: "¿Tiene usted hijos?"

Tú: "*No quiero comprar enciclopedias.*"

Vendedor: "¿Pero cómo puede usted decir que no si ni siquiera ha visto mis enciclopedias? ¡Son una ganga!"

Tú: "Quizá lo sean, pero *no quiero comprar enciclopedias.*"

Vendedor: "Son las mejores enciclopedias que hay en el mercado. No le quitaré más de dos minutos."

Tú: "No dudo que usted crea que son lo mejor que hay, y supongo que le tomaría dos minutos explicármelo, pero *no quiero comprar enciclopedias.*"

Vendedor: "Me ha ido muy mal esta semana."

Tú: "Créame que lo siento; pero *no quiero comprar enciclopedias.*"

Vendedor: "Si no he vendido algunas enciclopedias para la hora del almuerzo, ¡mi jefe me fusilará!."

Tú: "Seguro que lo hará, pero *no quiero comprar enciclopedias.*"

Vendedor: "¡Ni siquiera le importa que se mueran de hambre mis 16 hijos!"

Tú: "Lo sé. Parece que no me importa, pero *no quiero comprar enciclopedias*."

Seguramente concibes otras maneras de lidiar con vendedores ambulantes, como azotarles la puerta en la narices. Sin embargo, lo que se requiere es una técnica que sea útil en numerosas situaciones.

Cuando apliques la Técnica del Disco Rayado, recuerda lo siguiente:

a) No te alteres demasiado. Mantén un tono de voz monótono y una actitud autoritaria.

b) Tu objetivo no es ofender al otro. A menos que te guste herir y ser herido, condesciende con él hasta donde se pueda; por ejemplo: "seguro que son una ganga…". Quizá doy la impresión de que no me importa… Sin duda, eso le parece a usted… *pero no quiero comprar enciclopedias.*

c) *Emplea las mismas palabras.* El impacto será mucho mayor si utilizas las mismas palabras cada vez que expongas tu posición.

d) *Sé tenaz.* Cuando apliques una estrategia, como la del disco rayado, ciertamente puedes manejarla como un juego; y jugar a ganar.

CÓMO CONTRARRESTAR LA MANIPULACIÓN CON PREGUNTAS

Cuando la Técnica del Disco Rayado no es pertinente, una o dos preguntas incisivas demostrarán que tú no te dejas presionar.

Un conocido te dice: "Si de veras fueras mi amigo, me prestarías mil dólares".

—¿Por qué un amigo habría de prestarte forzosamente mil dólares?

—Porque los necesito.

—Seguro que sí. ¿Me estás diciendo que no soy tu amigo si no te presto el dinero?

—Bueno… no.

—Sólo quería aclarar eso. Me considero tu amigo, pero no tengo mil dólares para prestarte en este momento.

—Si yo te importara, no te pasarías todo el fin de semana pescando", le reprocha su esposa a cierto individuo.

—¿Por qué te molesta que vaya a pescar?

—Es que cuando te vas a pescar no te veo.

—¿Me extrañas?

—Así es.

—¿No piensas que es positivo que todavía podamos extrañarnos?

—Supongo que sí.

—Quiero ir a pescar, pero vamos a hacer también planes para salir en la semana. ¿Qué te parece?

—Me parece bien

Para decir "no" con buenos resultados, debes ser capaz de sostener un punto de vista contrario y no sentirte culpable por ello.

Aunque en ocasiones otros puedan tratar de influir en nuestro comportamiento, manipulando sentimientos de culpa, la mayoría de las veces no existe manipulación de su parte; sencillamente nos piden algo, y el reto es sentirnos bien al mantenernos firmes en nuestra postura.

Trazar una línea entre la defensa de tu postura y el egoísmo es muy difícil, por lo que frecuentemente escucharás: "¡Eres un egoísta!", cuando creas estar defendiendo tu postura.

EN SÍNTESIS

Especialmente con tus propios familiares, debes saber decir "no". Una vez que sepas decir "no" sin experimentar sentimientos de culpa, asumirás un mayor control sobre tu vida y podrás vivir más felizmente con otras personas y contigo mismo.

Las expectativas de los demás

Recuerda que a la gente le gusta la fortaleza y espera respeto. También requiere de espacio.

EL VALOR DE LOS CUMPLIDOS

La gente anhela reconocimiento y elogios. La sed de halagos es como el hambre física; jamás queda satisfecha por mucho tiempo. En estudios realizados, se ha establecido que entre las inquietudes de la gente, por orden jerárquico, el dinero ocupa un sitio bastante bajo. Necesidades como "reconocimiento por parte de la compañía", "elogios merecidos" y "hacer aportaciones", consistentemente figuran antes que la retribución económica.

Incluso a los ricos y famosos de vez en cuando les gusta escuchar que lucen bien y que se están desempeñando adecuadamente. Si analizas las entrevistas que se le han hecho a estrellas del cine, de los deportes y a los grandes hombres de negocios, notarás que acogen las alabanzas genuinas con tanto gusto como las personas comunes y corrientes.

"*¿Me dicen que soy guapo, listo, capaz, eficiente, maravilloso y adorable con tanta frecuencia como quisiera?*" La respuesta es "no", ¿verdad? Lo mismo le ocurre a todo mundo. Jamás nos saciamos.

Probablemente ya conoces la conclusión a la que llegaré ahora: *¡Si quieres influir en los demás, hazles cumplidos!* No tienes que convertirte en una persona rastrera, ni tienes que amasar letanías de cumplidos a todas luces falsos. Sencillamente debes reconocer lo que tienen de bueno los demás, y hacer que lo sepan. Te recordarán por ello.

Mi amigo Peter llevó su auto al taller. Tras estacionarlo, insistió en hablar con el dueño del lugar. El hombre llegó, sin duda, convencido de que algo marchaba mal, y Peter le dijo: "deseaba verlo sólo para decirle que éste es el taller más agradable que conozco. Es limpio y organizado. Es una dicha venir aquí y el mérito es de usted."

El tipo quedó abrumado. Durante 20 años se había dedicado

en cuerpo y alma a preservar su taller y nadie le había dicho que éste era hermoso.

A veces la gente se siente abochornada o reacciona con torpeza ante los cumplidos. Pero te aseguro que en su interior están brillando. Me sorprende que mujeres bellísimas reciban tan pocos cumplidos. Con frecuencia les digo: "qué bonito rostro tienes" o "¿no te dice todo el mundo que tienes unos ojos preciosos?", y me observan incrédulas.

¿POR QUÉ LOS CUMPLIDOS SIEMPRE FUNCIONAN?

Superficialmente, la gente puede parecer muy segura de sí, llena de confianza; pero cuando conversas con un individuo de buena presencia, triunfador, él no se percibe a sí mismo exactamente en esos términos. Él tiene que vérselas con su *yo* interior, que a veces se siente nervioso, con frecuencia preocupado, quizá también desorganizado.

Por tanto, cuando tú le dices: "Usted es un hombre de mucho éxito. Seguramente se siente muy orgulloso de sus logros", él se sentirá por los aires.

ELOGIOS DE SEGUNDA MANO

Otra opción para ponderar a la gente son los elogios de segunda mano; decir a los demás las cosas positivas que has oído sobre ellos. Todo mundo se deleita al enterarse de que sus amigos y familiares hablan bien de ellos.

Los elogios de segunda mano también funcionan cuando acudimos a un prestador de servicios por vez primera. Si necesitas de los servicios de un doctor, un impresor, un mecánico o un jardinero, es probable que requieras recomendación de un amigo.

Suponiendo que te recomienden a alguien, una buena manera de iniciar una amistad y de asegurarte un magnífico servicio es decirle que has oído hablar muy bien de él:

"Bob asegura que eres el mejor mecánico que ha conocido..."

"Mi jefe dice que sabes de estas máquinas más que nadie..."

"Tu madre afirma que eres el mejor doctor del país..."

En primer lugar, agradecerán el elogio y, en segundo, querrán desempeñarse a la altura de su reputación.

EN SÍNTESIS

La gente anhela reconocimientos. Si decides destacar lo que los demás tienen de positivo, y hacer cumplidos cuando sea posible, los harás sentir maravillosamente y también tú te sentirás bien.

TEDDY

El director suplente de mi escuela secundaria era un hombre llamado Edward Gare. Medía aproximadamente 1.50 m de estatura.

Era rechoncho y con cara redonda y roja. Todo mundo lo apodaba el osito Teddy.

Impartía clases en primero de secundaria, y en su salón les ocurrían a los niños cosas extrañas. Ellos estudiaban, ¡pero estudiaban de verdad! Niños de 11 años que estudiaban cuatro o cinco horas todas las noches, ¡porque *deseaban* hacerlo! Era un fenómeno increíble. Yo gocé durante un año de la magia de Teddy. Parecía que Teddy tenía hechizados a los niños.

No era un profesor dedicado a divertir a los alumnos. No era un cofre de carcajadas, ni un gran académico. Pero Teddy sabía halagar a los niños, sabía alentarlos, sabía preocuparse por nosotros. Teddy solía entregarnos pequeñas tarjetitas como reconocimiento a nuestro esfuerzo; tarjetas por un buen trabajo, estrellas doradas, estampas. Nos dedicaba tiempo. No se limitaba a poner una "A" o una "B". Él anotaba sus propios comentarios al final de nuestros escritos, señalándonos lo que habíamos hecho bien y lo que podíamos mejorar.

Muchos de los niños que permanecieron con Teddy conocieron los verdaderos elogios por primera vez en sus vidas. Teddy sabía conmovernos a todos, incluso a los más hoscos y rudos.

Recuerdo que mi hermano Christopher alegaba que si alguna vez era alumno de Teddy, no iba a hacer nada de nada. "¡Ni de broma me le voy a arrastrar a Teddy!" Quiso la suerte que Christopher fuera alumno de Teddy. Al poco tiempo, dedicaba seis horas diarias a su tarea, y al final del año había obtenido más reconocimientos que ningún otro estudiante en toda la historia de la escuela.

Los resultados que lograba Teddy eran una comprobación constante del poder del elogio. Obtenía excelentes resultados porque realmente se preocupaba por los niños y siempre encontraba algo bueno en todos ellos.

LA CONVERSACIÓN

Tu objetivo en la vida no necesariamente es lograr caerle bien a todos. Pero si has de conocer personas en fiestas, comidas, oficinas, escuelas y en el supermercado de tu colonia, es sensato aprender a conversar con soltura.

La gente se siente cómoda con uno, si considera que somos un poco como ellos; si tenemos cosas en común con los demás. Si pueden identificarse contigo y sentir que los comprendes, si pueden atisbar tu lado humano, se sentirán felices de conversar contigo.

Fred Nurd se pone de pie para dirigirse a la multitud. Empieza su alocución así: "Damas y caballeros; es para mí un placer estar con ustedes..." (Tú piensas: "¡Oh, no!, otra vez lo mismo de siempre".)

"Como realmente no estoy muy acostumbrado a hablar en público, esteee, verdaaaad, voy a tratar de no aburrirlos." (¡Hasta él mismo reconoce ser malo!)

"Recordando mi larga trayectoria..." (¡Ahora va a hablar sobre sí mismo!)

"Nací en 1923..." (¡Oh, no!, nos va a contar completa la historia de su vida.)

"En aquella época mi familia..." (¡Y la historia de su familia!)

Una hora más tarde: "Creo que ya se me está acabando el tiempo..." (¡Qué alegría!) "...de manera que en esta última media hora..." (¡Oh, no! ¡Que algo lo detenga! ¿Un balazo quizá?) "sí quisiera hablar sobre mí mismo..." (¡No lo puedo soportar! Me marcho.)

Esta clase de sujetos nos aburre a muerte. No se identifican con nosotros, hablan demasiado sobre sus propias vidas, pocas veces se ríen de sí mismos y se preocupan tanto de la impresión que causan, que tienen miedo de ser francos y originales.

Los buenos oradores hacen justamente lo opuesto. Se relacionan con el público en términos de intereses, experiencias y temores comunes. Los buenos oradores están tan ocupados siendo ellos

mismos, que difícilmente se preocupan de la impresión que causan, y son capaces de ver el lado cómico de las cosas.

Las mismas normas se aplican para hablar con una sola persona o con un millar. No tienes que deslumbrarlas con tu inteligencia e ingenio. Si logras *encontrar cosas en común, interesarte y ser humano*, charlarás con soltura prácticamente con todo el mundo.

CÓMO ENCONTRAR COSAS EN COMÚN

Siempre que conoces por vez primera a alguien, pregúntate si eres como él. Tu reto es encontrar similitudes entre ambos.

Las personas que ahuyentan a los demás se dedican a buscar diferencias. Su mensaje es: "yo soy más rico que tú, yo he triunfado más que tú, soy más interesante que tú, mi automóvil es mejor que tu cacharro, ni siquiera estoy interesado en hablar sobre ti y de todas formas no estoy de acuerdo con nada de lo que digas..."

Las conversaciones con este tipo de personas transcurren así:

"Está buenísimo el paté de salmón."

"El salmón me provoca urticaria."

"Iré a Francia este verano."

"Mi perro se murió en Francia."

"Voy a esquiar el fin de semana."

"Yo me rompí la pierna esquiando."

Ante esta situación te retiras pensando: "No me imagino quién quisiera hablar con este tipo".

Hallar elementos en común con los demás es una habilidad que es posible desarrollar como cualquier otra. Implica hacer el esfuerzo para compartir algo de ti mismo y estar lo bastante alerta para detectar intereses comunes.

INTERESARSE POR LOS DEMÁS

¿Recuerdas la última vez que conversaste con alguien? ¿Te dio la impresión de que realmente aquella persona no tenía interés en hablar contigo? ¿Te sentiste irritado? Los demás también se dan cuenta cuando nosotros no nos interesamos en ellos.

Para atraer a los demás tenemos que interesarnos en ellos. Cuando nos interesamos, nos olvidamos de nosotros mismos. Interesarse significa ponerse en los zapatos del otro; dejar de lado nuestras propias experiencias y decir: "Cuéntame tu historia".

Si no deseas hacer el esfuerzo, si no deseas interesarte, ¡quizá será mejor que te marches! Buscas la clase de compañía que en verdad deseas; toma una ducha, lee un libro, en vez de pasar toda la noche interactuando con gente con la que no quieres estar. Si vas a hablar con los demás, ¿por qué no brindarles toda tu atención?

ESCUCHAR

El 98% de las personas están desesperadas por encontrar a alguien que verdaderamente las escuche. La próxima vez que hables con alguien, fíjate si en realidad te están oyendo. ¿Absorben cada palabra que expresas, o constantemente atisban por encima de tu hombro, miran la hora, hacen sonar su dinero o estudian las cortinas?

¿Suelen repetir lo que acabas de decir, para cerciorarse de que han comprendido, o solo esperan que cierres el pico para ponerse a hablar?

Así como necesitamos alimento y bebida, también requerimos amigos que escuchen con atención. Las palabras de Séneca son tan ciertas el día de hoy como hace dos mil años:

"Escúchame durante un día, una hora, un instante
Porque no perezca en este terrible desierto, ¡mi
solitario silencio! Oh, Dios, ¿no hay nadie que escuche?"

Completos desconocidos, después de 25 minutos de escucharse, exclaman: "¡nos hemos enamorado!".

¿No es agradable que alguien te dedique toda su atención? ¿No es acaso una experiencia especial que otro se tome la molestia de ver la vida a través de tus ojos? Pues bien, no hay duda de que la persona con quien hables la próxima vez sentirá lo mismo. Todo el mundo vive desesperado por encontrar a alguien que le escuche absolutamente.

ESCUCHAR SIN JUZGAR

Platica con cualquiera de los cónyuges de un matrimonio fracasado y te dirán: "Sencillamente ya no hablamos...", "no hay comunicación en nuestro matrimonio...", "mi padre no quiere escucharme..."

El tema central es *escuchar*. En el caso de nuestros seres queridos es crucial.

Todos necesitamos al menos una persona con quién compartir nuestras más hondas preocupaciones; alguien que nos diga: "te quiero y te acepto como eres". Si tememos que al revelar nuestros sentimientos nos digan "¡Eres un asco!" o "¡Debería darte vergüenza!", no diremos nada y emprenderemos la retirada. En muchas ocasiones no hace falta que quien escucha, exprese su opinión o nos dé la solución que no tenemos para resolver alguna preocupación. Basta con poder compartir nuestros sentimientos con un ser humano comprensivo.

CUMPLE TU PALABRA

Se dice que la gente puede dividirse en tres grupos: "Unos cuantos hacen que ocurran las cosas, muchos las ven ocurrir ¡y el resto ni siquiera sabe qué ocurrió!".

He aquí parte de la forma para integrarse al primer grupo: ¡lleva a la práctica lo que has prometido! La mayoría de la gente no lo hace. Aseguran que harán todo género de cosas y no cumplen.

¿Con cuánta frecuencia oyes a otros decir: "me casaré contigo", y no lo hacen; "me pondré en forma", y engordan más; "te ayudaré si puedo", aunque tú sabes que no lo harán? ¿Cuántas veces oímos decir: "voy a pagarte lo que te debo", y nunca los vuelves a ver?

Cuando empezamos a tomar en serio nuestra palabra, ocurren gran cantidad de cosas:

- Los demás confían en nosotros.
- Lo pensamos muy bien antes de comprometernos.
- Somos más honestos con los demás.
- Tenemos mayor capacidad para evitar situaciones no deseadas.
- Aumenta el aprecio que sentimos por nosotros mismos.

Cuando tú no tomas en cuenta lo que dices, los demás no te toman en cuenta a ti. Si tú no crees en ti mismo, los demás no creerán en ti.

¿Así que cómo nos convertimos en personas de palabra? *Se eligen alternativas y se apega uno a ellas.*

Cuando los vecinos te invitan a tomar la copa, y tú piensas: "¡primero muerto que ir con ellos!", no les digas: "¡suena fantástico! Espero poder ir." Mejor sé honesto: "gracias por pensar en mí pero no me esperen esta tarde".

En situaciones como ésta y otras similares utiliza el tacto, respeta tus propios deseos, define tu postura y no te sientas culpable por ser honesto contigo mismo.

Cuando no sepas qué harás o a dónde irás, no prometas nada. Sé recto.

Cuando la gente exija que te comprometas en algo, y tú no estás seguro de poder ayudar, no hagas promesas. Lo mejor es decir, por ejemplo: "Todavía no lo sé, pero si acaso vengo, te llamaré por teléfono". Es mucho mejor manejar las cosas de esta manera que asegurar que irá uno y más tarde llamarles para dar las malas noticias.

LA GENTE QUIERE VER FORTALEZA

A la gente le encanta la firmeza. Tus vecinos, tus amigos y tus colegas quieren que seas fuerte; hay demasiadas personas que son como hojas al viento.

Cuando emprendas una dieta para adelgazar y ellos te tienten con un suculento pastel, en realidad ellos esperan que te aferres a tu dieta.

Especialmente los niños necesitan admirar a la gente fuerte; personas que hacen promesas o amenazas y se mantienen en lo dicho. Traza una raya y tu hijo pasará sobre ella. Su intención es probar quién es más fuerte de los dos, deseando que lo seas tú.

Es para los niños un sentimiento muy perturbador creer que ellos tienen el control de las cosas y que pueden hacer lo que quieran. Desesperadamente necesitan que alguien establezca reglas y las haga respetar. En ocasiones profieren insultos, rompen cosas, gritan, vociferan, roban cosas y huyen, con la esperanza de que venga alguien a ponerles límites.

La gente te admira cuando defiendes tu postura, aunque puedan no estar de acuerdo con tu causa.

EN SÍNTESIS

Cada vez que afirmas que harás algo, y acabas haciendo lo contrario, estás socavando tu poder personal. Ciertamente, es correcto cambiar de opinión en alguna ocasión. Pero la mayoría de las veces, necesitamos probrarnos a nosotros mismos que controlamos nuestra vida cumpliendo nuestra palabra.

Mientras más te apegues a tus compromisos, más fuerte te harás.

Para influir en los demás tienes que creer en ti. Para creer en ti, debes creer lo que dices y llevarlo a la práctica.

LA GENTE EXIGE RESPETO

En ocasiones tenemos que lidiar con empleados de tiendas, vecinos, parientes políticos y cónyuges, que nos causan dificultades. A pesar de nuestros más sinceros intentos por congeniar con ellos, parecen insensatos incorregibles.

Esta sección plantea algunas estrategias para evitar altercados y ganarse a la gente. Si realmente disfrutas las confrontaciones, no leas esta parte.

Imagina que te encuentras en las siguientes situaciones:

• Te diriges con tu carrito de ruedas hacia la caja en el supermercado. Justo cuando ya vas a llegar a ella, una señora con un carrito repleto de mercancía te rebasa sin siquiera decir "con permiso".

En consecuencia, este hecho provoca que te retrases aproximadamente dos minutos. Lo más probable es que te sientas un poco molesta, ¿pero esa molestia se debe a los dos minutos que perdiste o a la falta de consideración de esa persona?

• Te encuentras en una fiesta. Alguien que te conoce de muchos años atrás advierte tu presencia, pero no se digna saludarte. Nuevamente puedes sentirte irritado, ¿por qué?

• Al servirte una ensalada en un restaurante, adviertes que los bordes de la lechuga están opacos. Al hacer notar al mesero el mal estado de la lechuga, él sentencia: "nomás córtele lo marchito; ni que se fuera a envenenar". Si te enojas, ¿se debe a la pérdida de un bocado de ensalada?

No son los dos minutos, ni el saludo, ni los bordes de la lechuga lo que nos molesta. Es el trato que se nos da. Nos enojamos, nos ofendemos, nos enfurecemos, cuando nos sentimos ninguneados por los demás. Queremos respeto. *Todo mundo quiere respeto.*

TODOS COMETEMOS EL MISMO ERROR

Puede parecer obvio el que todo mundo desee ser respetado; y la mayoría estamos conscientes de este hecho. El problema empieza cuando nos enfrascamos en una alegata. En ese momento elaboramos una relación de *pretextos* para justificar nuestros actos, y nos olvidamos de mostrar respeto por la otra persona.

Imagina que tu esposa te ha llamado para pedirte que, de regreso del trabajo, recojas la ropa en la tintorería. Los hechos son los siguientes:

a) Tu mujer es quien suele recoger la ropa
b) Tu mujer se molesta fácilmente
c) Llegas a casa sin la ropa
d) Tu mujer se molesta

No te engañes. Lo que le preocupa es tu falta de espíritu de colaboración, mucho más que el hecho de no contar con la ropa que se quedó en la tintorería. Establecido lo anterior, la siguiente lista de pretextos y reacciones no servirá de nada a la relación:

a) "Ya tengo suficientes preocupaciones como para tener que pensar en la tintorería."

b) "¡No te imaginas qué día tuve! Problemas con el jefe, con el auto, con los clientes, con el dinero, ¡y a ti lo que te preocupa es la estúpida tintorería!"

c) "Se me olvidó pasar a recogerla."

d) "¡Al cuerno con tu cochina ropa!"

Todas las observaciones anteriores expresan un mensaje en común: "mis necesidades son más importantes que las tuyas" y "¡yo soy más importante que tú!". Tu pareja de inmediato llegará a la conclusión de que tú "no haces nada por cooperar", que "solo piensas en ti mismo" y, lo peor de todo, que *no te interesa*. De pronto te encuentras al borde de la ruptura, todo por causa del absurdo asunto de la tintorería.

"Pero en realidad sí tuve problemas con el jefe", puedes pensar, o "Sí fue verdad que me robaron las llantas del carro", o "Sí es cierto que perdí la cartera". *Ésos son los hechos.* ¿Por qué esta persona es tan poco razonable?

No se comportan razonablemente porque a la gente no le interesan los hechos. ¡Lo que quieren es ver que te *interesas* por ellos! Buscan tu empatía. Demandan respeto. Una vez que sepan que te interesas por ellos, entonces quizá escucharán los hechos.

Recuerda, por ejemplo, el episodio de la lechuga en el restaurante. No te interesan los hechos. Lo que quieres es respeto. "Señor, comprendo que se moleste. Yo también lo estaría. ¿Le parece si le traigo otra ensalada? ¿Se le ofrece alguna otra cosa?" ¿Verdad que te sentirías mejor si te plantean las cosas en esa forma?

¿Cómo puedes mostrar respeto? Recuerda las siguientes reglas:

1. *Escucha.* Nada arrastra tan rápidamente a una persona al punto de la violencia, como el hecho de sentir que no le estás haciendo caso. Poner atención denota respeto; hace a los demás sentirse importantes. Míralos ocasionalmente a los ojos cuando te expresen su sentir.

2. *Empatiza.* Trata de que tu interlocutor sepa que comprendes lo que siente. "¡Debes sentirte muy molesto de que la única vez que me has pedido ayuda yo te haya quedado mal! Seguramente te da la impresión de que no me intereso por ti en lo más mínimo."

3. *Identifícate.* "Si yo estuviera en tu lugar, me sentiría igual que tú", o "no te culpo por sentirte irritado; yo lo estaría también".

4. *"¿Qué más?"* Cuando hayan terminado de hablar, pregúntales: "¿Hay algo más que yo debiera saber?". Las personas enojadas siempre resultan gratamente sorprendidas cuando les haces

esta pregunta. Están acostumbradas a que el interlocutor siempre trate de silenciarlas. Cuando sienten que cuentan con el tiempo necesario, la agresión se evapora y, en general, en ese mismo instante dejan de atacar.

5.-   *"¿Qué te gustaría que yo hiciera?"* Cuando los demás piensan que no te interesas por ellos, debes preguntarles: "¿qué te gustaría que yo hiciera?". Cuando la persona airada sienta que en verdad te interesas por ella, todas sus exigencias se disolverán. "En realidad no tiene tanta importancia", o "creo que puedo solucionarlo yo mismo", dirán. Inténtalo. Es asombroso. De pronto te amenazan con demandarte y despojarte hasta de tu camisa, y al minuto siguiente te dicen: "¡olvídalo!".

Hace poco expuse estos principios en una conferencia. Algunos días después conocí a George, uno de los asistentes, que desde entonces ha puesto en práctica los consejos.

George tenía una mueblería y ese día había enviado unos muebles a un cliente, dos días después de la fecha de entrega prometida. Surgió iracundo el comprador, echando humo y dispuesto a pelear: "¡Cómo se atreve! Me dijo usted que iba a venir hace dos días."

George resistió su habitual tendencia a dar pretextos y simplemente dijo: "Si yo pidiera unos muebles y me los trajeran con dos días de retraso, ¡también yo estaría muy molesto!". El individuo de inmediato se aplacó.

George me dijo: "fue asombroso. El hecho de no recurrir a los pretextos y hacerle saber que comprendía su postura, cambió su actitud instantáneamente."

Aplicar estos principios es más fácil en la teoría que en la práctica. Incluso cuando crees haber asimilado la idea, tenderás a utilizar pretextos, por simple hábito, cuando te encuentres bajo presión. ¡No lo hagas! Al menos, no antes de que la otra persona sepa que comprendes su posición.

¿ENTONCES CUÁNDO PUEDO RECURRIR A LAS EXCUSAS?

En ocasiones los motivos y los hechos son apropiados, por ejemplo: "llegué tarde porque me robaron el auto", pero este anuncio debe hacerse después de un momento de empatía: "Querida, debes sentirte muy molesta porque llegué dos horas tarde a la boda". La regla es *empatía primero y excusas después*.

EN SÍNTESIS

Cuando uno trata con personas airadas, *los hechos no cuentan. Lo que cuenta es el interés y el respeto que uno sienta por ellas.* Aquí no estamos hablando de un montón de técnicas, sino de un cambio de actitud.

EXPRESA TU SENTIR

"ME CONSTA QUE MI MARIDO PUEDE SER SOLÍCITO Y CARIÑOSO; ASÍ SE COMPORTA CON EL PERRO."

Una dama solitaria hizo la anterior observación a Leo Buscaglia, y él la sacó a colación en una de sus charlas sobre el amor. ¿No te parece un poco triste que un hombre que recibió a su esposa para amarla "en la abundancia y en la pobreza, en la dicha y en la adversidad", tribute su amor a un perro?

Frecuentemente el problema no es que no nos interesemos por las personas, sino que no sabemos cómo manifestarlo. "Algún día le diré a mamá cuánto la quiero en verdad." A veces esperamos hasta que ya es demasiado tarde.

Mi amigo Paul, que tiene 33 años de edad, un buen día decidió confesarle a su padre cuánto lo amaba. La relación entre ambos había sido atropellada y es maravilloso escuchar a Paul relatar aquella historia.

"Realmente quería decirle a papá lo mucho que apreciaba todo lo que él había hecho por mí durante tantos años. Quería que supiera que me sentía agradecido porque siempre pasaba por mí cuando yo era *boy scout*, porque siempre me iba a ver jugar futbol y porque trabajó en dos empleos para poder pagarme la universidad. Quería decirle que, a pesar de todo, él me importaba.

"Él vivía tan solo a 70 kilómetros de distancia, pero me daba mucho miedo decírselo cara a cara. No me atrevía a confesárselo ni siquiera por teléfono. Así que decidí escribirle una carta. 'Querido papá, sé que últimamente hemos tenido algunos problemas; no hemos cruzado palabra en cinco años...' y proseguí manifestándole que, no obstante nuestras diferencias, yo lo amaba y admiraba grandemente. Le escribí todas las cosas que no me atrevía a decirle a la cara y le envié la carta.

"Un par de días más tarde sonó el teléfono. Era mi padre: 'Paul, habla tu papá. Recibimos tu carta. Mamá quiere hablar contigo.' ¿Fue una conversación breve, pero era el principio?

"Unas semanas después, decidí ir al club que frecuentaba papá para verlo jugar boliche sobre pasto. Él me había visto practicar mi deporte durante años enteros, así que decidí ir a verlo. Después del juego me condujo a la casa club para presentarme con algunos de sus amigos. Me presentó con el primero de ellos y el tipo exclamó: '¡Paul! , ¡tú eres el que escribió la carta!' El siguiente amigo dijo: 'Mucho gusto. ¡Tú debes ser el que escribió la carta!' Al parecer, todo mundo en el club estaba al tanto de la carta que envié a mi padre. ¡Quizá la había colocado en el periódico mural o la había hecho publicar en el boletín del club! Un hombre me confesó: 'Tengo una fortuna de dos millones de dólares y daría hasta el último centavo por recibir una carta así de parte de mi hijo'.

"Papá y yo empezamos a pasar juntos los fines de semana, a viajar a lugares nevados en las vacaciones; toda nuestra relación cambió. Antes no podía dirigirle la palabra. Ahora, cada vez que lo veo me da un abrazo de oso."

Siempre que admitimos nuestros sentimientos y confesamos nuestro amor a los demás, corremos riesgos. Se necesita valor. Nuestros seres queridos necesitan que les digamos que los queremos. Necesitan estar seguros de ello. Un tipo preguntó en alguna ocasión: "¿cuál es el mejor momento para decir a tu esposa que la quieres?". La respuesta es: "antes de que otro se lo diga".

Jim Rohn señala: "Las palabras no pueden remplazar a los actos, pero también es cierto lo contrario: *los actos no pueden sustituir a las palabras*. Frank trabaja 80 horas a la semana para proveer alimento y vestido a su familia y afirma: "¡deberían *darse cuenta* de que los quiero! ¡Basta mirar cuán duramente trabajo! ¡No creo tener que decírselos!" Por supuesto que sí, Frank; se lo tienes que decir. Probablemente no lo saben.

May se lamentaba: "mamá debería saber que la quiero". De acuerdo, quizá debería saberlo, pero probablemente no lo sabe. Las personas no leen el pensamiento. Qué bueno que acaricies al perro, pero también demuestra tu amor a tus seres queridos. ¡Lo que funciona con las mascotas, funciona con la gente! Elogia a los demás, dales una palmada en la espalda, abrázalos, diles que los quieres. Los perros jamás se hartan de ello. Tampoco tu esposa... o tu esposo... o tu novia... según sea el caso.

EN SÍNTESIS

Aunque creamos que los demás saben que los queremos, generalmente no es así. A veces nos afanamos tanto por demostrarles nuestro amor, que se nos olvida *decírselos*. Todos deseamos oírlo, *con frecuencia*.

"QUIERO DECÍRSELO PERO NO SÉ CÓMO"

Seguramente conoces personas que se justifican: "quisiera decirles que los quiero, pero me avergüenza. No sabría qué decir ni cómo decirlo. Tal vez me considerarán estúpido." En caso de que tú seas ese tipo de persona, tal vez querrás hacer uso del párrafo que sigue. Es para que se lo muestres a alguien a quien quieras...

De mí para ti

Espero que leas este párrafo. Estoy leyendo un capítulo sobre "cómo confesar tu amor a tus seres queridos", y se relaciona contigo y conmigo. Soy de esas personas a las que les cuesta trabajo decir "te quiero". Creo que siempre me da por suponer que tú ya lo sabes y que no hace falta decirlo. Además, no quiero parecer tonto o sentir pena, y por eso evito decirte lo que siento en realidad. La verdad es que te quiero muchísimo, y me siento muy afortunado de tenerte conmigo. Tal vez esta breve confesión te caiga de sorpresa. ¡Quizá te sorprenda que venga de un libro! Ahora que te lo he dicho de esta forma, espero que podré decirte con más frecuencia "te quiero". Tan sólo quería que lo supieras. Ahora ya puedes regresarme mi libro.

LA GENTE NECESITA ESPACIO

"Cantad y danzad y sed felices,
pero dejad también que cada cual esté solo.
Como las cuerdas del laúd están solas,
aunque se estremecen con la misma música".
                                            Jahlil Gibran

Por mucho que te quieran los demás, a veces querrán estar a solas.

En ocasiones podemos olvidar que somos individuos que necesitamos un espacio propio, y cuando nuestra pareja decide hacer algo para sí, nos sentimos rechazados...

Fred dice a Mary: "Me voy de pesca".

"¿Te vas a ir *solo?*" pregunta Mary.

"Sí, a veces me gusta estar solo", argumenta Fred.

"¿Por qué? ¿Yo qué te he hecho?", Mary se siente herida.

"Nada. Simplemente me gusta la soledad."

"¿Entonces puedo ir a disfrutar la soledad contigo?", insiste ella.

"¡Pero Mary! El asunto es que quiero ir solo."

"¡Pero yo soy tu esposa!"

"Es cierto, y te quiero y me voy de pesca."

"Si me quisieras irías a pescar *conmigo*."

"¡No me vengas con eso, Mary!"

"¡Hice algo malo y no me lo quieres decir!"

"No hiciste nada malo. Simplemente de vez en cuando me gusta estar solo."

"Creo que estás tratando de huir de mí."

"No, de veras..."

Si Mary sigue insistiendo, ¡al poco rato Fred se irá a pescar pero sólo para huir de ella!

La mayoría de las personas necesitamos momentos de soledad para aclarar la mente, procesar pensamientos, formular estrategias, estar con la naturaleza, ubicar las cosas en perspectiva. A veces necesitamos estar solos únicamente para extrañar a ciertas personas, y quererlas de nuevo.

EN SÍNTESIS

Necesitamos comprender las necesidades de los demás. *¡A veces la mejor manera de congeniar con alguien es ausentarnos!*

Cómo vivir (más fácilmente) con los demás

Muchas veces los demás nos aprecian más por lo que no decimos.

LO QUE CUENTA ES LO QUE NO SE DICE

"RECURRIENDO A MI DIESTRO MANEJO DEL LENGUAJE, GUARDÉ SILENCIO".

Robert Benchley

Ángela recibe de su marido un anillo de diamantes. Se siente conmovida. Es una ocasión especial. Lo mira fijamente a los ojos y le dice: "querido, está precioso. ¡Me encanta! ¡Lo voy a atesorar para siempre!" Regresándole la mirada, él responde: "¡más vale que lo hagas! ¡Me costó una maldita fortuna!"

¿No es mejor callar ciertas cosas? Una de las lecciones importantes de la vida es aprender cuándo mantener el pico cerrado. Si tu comentario no arreglará nada ni hará sentir mejor a nadie, más vale omitirlo.

¡Hay cosas que los demás simplemente no quieren escuchar! La gente no quiere oír tus quejas sobre tu esposo. No quieren escuchar sobre tu dolor de espalda, o tu nariz constipada, o tus crecientes sobre giros, o sobre las veces que fuiste al excusado anoche.

La próxima vez que estés a punto de quejarte de algo, pregúntate: "¿por qué alguien habría de querer oír esto?".

Admiramos a las personas que pueden sonreír en medio de la adversidad. Sentimos aprecio por quienes pueden manejar las decepciones sin hacer pataletas.

No importa que poseas muchos títulos, ni que vistas a la última moda, ni que vivas en la zona más *chic* del mundo; si eres berrinchudo no tienes estilo. Si alguna vez quieres causar en alguien una buena impresión, espera a que ocurra un desastre y manéjalo sin quejarte. ¡Destacarás! Son poquísimas las personas que se comportan así. Quedarán sorprendidas por tu fortaleza y desearán que formes parte de su equipo.

Hablando de lamentos y berrinches, he aquí una lista abreviada de cosas que los demás no quieren escuchar:

a) "Me duele la cabeza."

b) "Mi marido estuvo roncando toda la noche."

c) "Ando bruja."

d) "La vida no es justa, la gente siempre me trata mal."

e) "Otra vez me están molestando los juanetes."

f) "Tu regalo me costó una fortuna."

g) "Estoy de malas."

h) "Me odio, soy feo y aburrido..."

i) "Tengo gripa y te la voy a pegar."

j) "El mundo se va a acabar el viernes."

Te compras un traje en la Boutique de Bozo, y le dices a tu hermano: "¿no te parece precioso? ¡Solo me costó 499 dólares!" "Lástima, responde él, yo te lo hubiera conseguido en 200."

Tengo una amiga que cuando la llamo por teléfono, se queja de que nunca la llamo... "¿Por qué nunca me llamas? ¿Sabes cuánto hace que no sé de ti? Nunca me hablas, ¿por qué nunca me hablas?" Adivina por qué nunca le hablo.

He aquí una relación de los "deberías haber" que detesta la gente:

a) "Deberías haber actuado de este modo."

b) "Deberías haber vendido tu casa el año pasado."

c) "Deberías haber estado aquí ayer."

d) "Deberías ser como yo y conseguirte un empleo, bajar de peso, dejar de fumar, acudir a misa..."

e) "Deberías haberme dicho."

f) "¡Debería darte vergüenza!"

Mi padre siempre sabía cuándo era mejor no abrir la boca. Cuando yo tenía 18 años de edad, recuerdo que me encontraba dibujando unos rótulos para una tienda de la localidad. Hacía mucho viento y, para trepar al techo, me había subido en una escalera extensible muy grande y pesada. Mi padre pasó por ahí y se tomó la molestia de subir a la escalera para decirme: "este viento puede tirar la escalera cuando uno no está sobre ella. Si golpea un auto, costará una fortuna. Si yo fuera tú, la amarraría."

Determiné que él no era yo y no la amarré. Unos cinco minutos más tarde me encontraba en el techo, de espaldas a la escalera. Escuché un ruido estrepitoso y, al voltear, vi mi escalera atravesada sobre el toldo de un Toyota. El auto quedó muy estropeado y me costó una fortuna.

Cuando se lo conté a mi padre, él no me respondió: "deberías haber hecho lo que te dije", o "eres un chamaco idiota". Tan solo movió de arriba abajo la cabeza, como afirmando. Sabía que yo había aprendido la lección. Él sabía —como parecía saberlo siempre—, que a veces es mejor no decir nada.

EN SÍNTESIS

No siempre es necesario hablar. *Muchas veces los demás nos aprecian más por lo que no decimos.*

LAS OFENSAS

Las personas maduras no se molestan ante las observaciones desagradables de los demás. De cuando en cuando, las personas dicen cosas para ponernos a prueba; comentarios como: "¡no le echas ganas al trabajo!", "¡cómo comes!", "¡todo el mundo sabe que te casaste con él por su dinero!". A veces estos comentarios se deben a la envidia, pero la mayoría de las veces se hacen con el fin de provocar una reacción. Cualquiera que sea el motivo, ¡es mejor sonreír y callar; o bien, darle la razón al otro!

Así que la próxima vez que tu vecino te vea en tu auto nuevo y te diga: "¡ni siquiera trabajas y te dan para tus carcachas!", respóndele: "¡qué maravilla! ¿No te parece?" No tienes que justificarte. Sonríe. Olvídate del asunto.

Cuando tu cuñada se queja: "¡tú siempre estás de vacaciones!", dale la razón. "¡Así es!, ¡nos encantan las vacaciones!" Cuando tu cuñado Fred te diga: "Caramba, ¡seguro que tiraste una fortuna para construir esa alberca!", sonríe y respóndele: "¡te aseguro que sí! ¡Detesto las albercas baratas!" No permitas que esa clase de comentarios te enojen. No ganas nada con atacar a tu cuñado Fred, a tu hermana o al resto de la gente.

Si impartes clases o hablas en público, forzosamente te toparás con latosos que harán comentarios de tipo personal. De nuevo, la mejor manera de tratar revoltosos es darles la razón de buen talante. Cuando el tipo de la última fila advierta tu error de ortografía en el pizarrón y comenta con sarcasmo: "¿no se supone que nuestro maestro debe saber escribir?", sonríe y responde: "¡tienes razón! ¡Se supone que debería saber escribir!" Si tratas de defenderte delante de una multitud, ¡te ahogarás en el mar! Debes condescender, o bien discriminar todo aquello que escuches y ceñirte exclusivamente a los asuntos de los que quieres hablar.

EN SÍNTESIS

Solo la gente insignificante hace comentarios desagradables; solamente las personas insignificantes se sienten aludidas. Sé grande.

CÓMO EVITAR ALEGATAS

"JAMÁS PELEES CON CERDOS; TÚ TE ENSUCIAS Y ELLOS LO DISFRUTAN."

General Abrams

¿Alguna vez te has desvelado discutiendo con alguien, y después piensas que desperdiciaste toda la noche? De hecho, ¿no es ésa la sensación que suele quedarnos después de una discusión?

Discutir no necesariamente es bueno ni malo, pero puede consumir muchísimo tiempo; y mientras más te afanes por cambiar el punto de vista del otro, ¡menos probable será que lo logres!

Y, por el contrario, tú obtendrás solamente un desgaste físico y emocional, sin obtener nada de provecho.

¿POR QUÉ DISCUTE LA GENTE?

Las personas tienden a discutir por tres razones principales:

1) Intentan cambiar las cosas. (Éstos son los *reformistas*.)
2) Quieren llamar la atención. (Los *buscadores de atención*.)
3) Se sienten irritados y con ganas de discutir. (Los *beligerantes*.)

Si estás tratando con alguien que desea cambiar las cosas por medio de la discusión (un reformista), probablemente será apropiado escucharlo y aplicar las técnicas planteadas en el capítulo anterior. Sin embargo, si te encuentras delante de un buscador de atención o de un beligerante, conviene negarse a jugar su juego.

Los *buscadores de atención* discuten solo para hacerse notar. Saben que al disentir violentamente, llamarán la atención. Las personas que actúan de manera adecuada optan por el amor y el cariño, en

vez del conflicto verbal. Si nuestra autoestima es pobre, a veces recurriremos a las alegatas y pataletas para llamar la atención.

Los delincuentes juveniles operan conforme a esta línea de pensamiento. Al destruir cabinas telefónicas y causar estropicios en el vecindario, emplean esa estrategia para hacerse notar.

Otros buscadores de atención optan por métodos menos dramáticos. Seguramente conoces personas así. Siempre habrá quienes insistan que es verde aunque sea amarillo; que hace calor cuando hace frío; que "es viejo" aunque sea nuevo; que el cantante que se escucha en la radio es Bing Crosby, aunque sea Michael Jackson. No te metas en aprietos y déjalos creer lo que quieran. No tienes que enseñarles a fuerzas. Déjalos en sus asuntos y no te involucres.

Los *beligerantes* generalmente desean alegar porque están molestos por cosas que nada tienen que ver contigo. No tienes por qué involucrarte. Es muy sencillo hacer entender a la gente a tu alrededor que quieres que te traten con cortesía; simplemente no te metas con ellos cuando estén pataleando y vociferando.

Cuando tu vecino empiece a proferir improperios en el teléfono, suavemente cuelga la bocina. Si tu casa se torna un campo de batalla, y todo el mundo está enfrascado en combates cuerpo a cuerpo, vete a caminar al parque. Puedes volver para las pláticas de paz.

Tú enseñas a la gente a tratarte estableciendo una política: "No me gusta que me griten. No voy a dirigirte la palabra sino hasta que dejes de arrojar muebles de un lado a otro de la sala." Y acto seguido te marchas.

Hay ocasiones en que o bien todo el mundo tiene que estar de acuerdo, o bien hay que acatar órdenes.

Pero hay incontables ocasiones en las que el consenso no tiene importancia, ni si los demás están de acuerdo contigo; no importa quién tiene la razón y quién no.

En tales circunstancias la vida se torna mucho más fácil si *sencillamente dejamos que los demás no estén de acuerdo.*

"La teoría de no alegar suena bien, ¿pero cómo no discutir si alguien vehementemente se te contrapone? *¡Tranquilamente, permite a los demás tener un punto de vista distinto al tuyo! Toma la decisión de no preocuparte demasiado por lo que piensen.*

Desde la infancia, anhelamos el apoyo de quienes nos rodean. Tendemos a operar según la siguiente fórmula: "a menos que estés de acuerdo conmigo, gritaré, estaré malhumorado, perderé el sueño, me emborracharé y estaré muy perturbado; ¡e incluso es posible que me ponga a tirar cosas!"

A menos que revisemos nuestra filosofía personal, al llegar a la edad adulta posiblemente sigamos operando con el mismo programa de hace 25 años.

Cuando la gente nos contradice, afloran nuestras inseguridades. Tendemos a reaccionar. Pero si renunciamos al vicio de pensar que todo mundo debe ver las cosas a nuestro modo, no habrá necesidad de discutir.

Imaginemos que acabas de vender tu auto en un precio que a mí me parece absurdamente bajo. Me presento ante ti y te digo: "¡fuiste muy tonto al vender tu auto tan barato!"

Así que tú respondes, "Tú qué sabes."

—Sé de autos más que tú.

—Tú sabes todo, ¿no?

—¡Lo que sé es que acabas de perder cinco mil dólares!

—¡Tú preocúpate por tus propios *&*!* asuntos!

—Eres un *a*!!**!

Rápidamente caemos en la trampa de la alegata, el temperamento se enciende y aumenta la presión sanguínea. Ahora imaginemos que tú me permites mantener mi opinión y yo te permito conservar la tuya. El curso de la conversación podría ser como sigue:

—¡Fuiste muy tonto al vender tu auto tan barato!

—¿Me crees tonto?

—Por supuesto.

"Pues bien; si tú de veras lo crees, respeto tu punto de vista. No estoy de acuerdo contigo, pero respeto tu derecho de opinar."

En la mayoría de los casos, el hecho de dar a la parte contraria espacio para opinar bastará para evitar la alegata. En cuanto dejemos de querer imponer nuestros puntos de vista, ellos dejarán de imponer los suyos.

Ahora bien, uno podría pensar: "Pero si alguien te ataca, y tú crees estar en lo correcto, no puedes quedarte cruzado de brazos y soportarlo. ¡Tienes que defenderte!" Sin embargo, no puedes darle gusto a todo el mundo todo el tiempo. Puedes ocupar tu tiempo en cosas mejores que tratar de persuadir a los demás en contra de su voluntad. Déjalos creer lo que quieran.

CÓMO DECIR "TE EQUIVOCAS"

SÉ MÁS SABIO QUE LOS DEMÁS, SI PUEDES;
PERO NO SE LOS HAGAS SABER.

Lord Chesterfield.

Una de las maneras más seguras de ser atacado, sobajado, desdeñado y ultrajado por los demás es decirles: *te equivocas*. La gente lo detesta, ¡lo cual generalmente significa que te detestarán a ti! Todo mundo quiere tener razón. Cuando les dices *te equivocas*, generalmente agregan su propia interpretación a tus palabras. Con frecuencia lo interpretan de la siguiente manera: "Te equivocas, por tanto tienes carencias". Si te interesa que la otra persona valore tu punto de vista u obedezca tus órdenes, busca alternativas.

"Respeto tu opinión, pero la mía es un poco diferente."

"Mi experiencia no coincide con la tuya..."

"Respeto mucho tu opinión, pero esta vez no puedo estar de acuerdo contigo..."

"Veo que para ti eso es cierto; pero para mí lo cierto es que..."

Los hombres se baten en duelos, van a la guerra, derrochan fortunas y matan gente para demostrar que tienen razón. Tener razón es cosa seria. Si deseas lograr un acuerdo amigable, habla de "opiniones", "ideas", "experiencias distintas".

RECONOCER QUE NOS EQUIVOCAMOS

Es irónico. Pretendemos que los demás nos respeten insistiendo en que *tenemos razón*, y lo que logramos es justamente lo contrario. Tememos perder el respeto de los demás al admitir que *nos hemos equivocado* y, no obstante, con ello frecuentemente nos lo ganamos.

Siempre que estamos dispuestos a admitir nuestras equivocaciones, la gente admira nuestro valor y nos trata con compasión; sin embargo, la mayoría de las veces detestamos admitir nuestros errores.

No soy famoso por reconocer mis equivocaciones, pero me esfuerzo en ello. Espero que escribir este capítulo me anime a hacerlo con mayor frecuencia. He descubierto que cuando estoy equivocado, y lo admito, obtengo una gran sensación. También sé que eso no es el fin del mundo, ni la gente me ridiculiza, como a veces ocurre cuando insisto en tener razón.

Es lógico afirmar que si todo mundo quiere tener razón y tú

estás dispuesto a reconocer a veces que los demás la tienen, te apreciarán por ello.

EN SÍNTESIS

Decir a los demás que se equivocan es una excelente forma de hacerse enemigos. Admitir que te equivocaste, puede ser una gran forma de iniciar una amistad.

LAS HUMILLACIONES

Cuando alguien te queda mal, tienes varias opciones. Puedes criticarlo, humillarlo y avergonzarlo, o puedes tratar de arreglar el problema.

Pocas veces se pueden hacer ambas cosas. Algunas personas lo intentan. Primero se echan encima a un enemigo: "eres irreflexivo, inútil, ignorante..." y luego solicitan apoyo: "y ahora que te he ultrajado, regrésame mi dinero, repara mi auto y ¡quiéreme como antes!".

¡Es muy difícil lograr resultados de esa manera! Por muy molestos que estemos, debemos recordar que atacar a los demás mina nuestras posibilidades de lograr su apoyo.

Si te agradan las confrontaciones y de vez en cuando te ves enfrascado en una riña, está bien. Pero difícilmente te ayudará a lograr lo que buscas. Cuando empiezas a atacar a los demás, simplemente supondrán que eres grosero. Acto seguido querrán verte sufrir; y si dependes de su cooperación, realmente se las arreglarán para que sufras.

Incluso cuando trates con alguien que te parezca un malandrín, bríndale respeto y condúcete con prudencia.

Supongamos que compraste un equipo de sonido en una tienda de tu localidad. Al llegar a casa te das cuenta de que el tipo de la tienda te entregó un amplificador más barato que el que te había ofrecido. Sospechas que es un pillo y que te engañó a propósito.

Si te ha engañado y lo acusas de ser un pillo, él nada gana con darte lo que tú quieres. De antemano lo has "hallado culpable", así que él pensará: "¡si me tratas como a un criminal, me comportaré como tal!". Sin embargo, si le concedes el beneficio de la duda diciendo: "sé que se sentirá usted mortificado cuando sepa que me entregó un amplificador equivocado", existirá la posibilidad de que él corrija las cosas. Si tú apelas a lo mejor que hay en él, entonces él apelará a lo mejor de sí mismo.

Además, si lo acusas de ser un pillo, y él no te ha engañado intencionalmente, tampoco se sentirá muy contento. En cualquiera de los casos, lo que más te conviene es evitar condenarlo.

Ahora bien, si el hecho de conceder el beneficio de la duda no te funciona, ¡el siguiente paso puede ser actuar estrictamente! Pero cuando lo hagas, evita los ataques personales. Es posible ser estricto con la gente sin dejar de manifestarles el debido respeto.

EN SÍNTESIS

Generalmente, a las personas les agrada portarse a la altura que esperas de ellas. Cuando las respetas y les das buen trato, te corresponderán con respeto. Si tu objetivo es lograr su cooperación, sé muy respetuoso. En la mayoría de los casos se inclinarán hacia ti para ayudarte.

LAS CRÍTICAS

He aquí algunos puntos que debemos recordar sobre las críticas:

a) *Las críticas no funcionan.*
b) *Las personas raras veces se culpan ellas mismas.*
c) *Si culpas a los demás, ¡ellos te culparán a ti!*

No me parece mal que yo mismo me encuentre fallas de vez en cuando, ¡pero si las descubre otra persona, la situación cambia!

Es fascinante, ¿no te parece? No nos incomoda detectar detalles incorrectos en nuestra actitud, en nuestra madre, en nuestro semblante, en nuestra ciudad, en nuestros amigos, en nuestro físico, pero si es otro quien los menciona, ¡cuidado!

Las críticas son el camino más rápido de granjearse rencores y destruir una relación. Nuestros egos son tan frágiles, que una fuerte reprobación nos golpea como mazo de herrero. Al momento en que se nos critica, nos justificamos, culpamos, vociferamos. Muchas veces, nos retiramos.

Los humanos tenemos una ostensible capacidad para vernos siempre libres de culpa. Los psicólogos han comprobado que in-

cluso los más abyectos homicidas y criminales no creen tener la culpa de sus actos. Al Capone, uno de las más infames gangsters de Estados Unidos, en una ocasión lamentó que se le considerara un asesino, un enemigo público, ¡si lo único que él siempre había tratado de hacer era ayudar a los demás!

Si ni siquiera los asesinos y los criminales se consideran sujetos de culpa, ¿qué puede esperarse de las personas que te dan un cerrón en la carretera y de los clientes que nunca pagan sus adeudos? *¡También ellos dicen que no tienen la culpa!* Trátese de lo que se trate, la mayoría de las personas piensan que no es su culpa; otra buena razón por la que las críticas no funcionan.

Las críticas son destructivas. Si tu secretaria no quiere trabajar, tus críticas la harán más floja. Si tu hijo se orina en la cama, tus críticas eternizarán el problema. Las críticas paralizan, enfadan y provocan. Criticar es buscarse problemas.

SI NO TIENES MÁS REMEDIO QUE CRITICAR...

Primero ofrece un elogio. Si yo te digo: "Te ves muy bien. Tu cabello luce espléndidamente; tu camisa y tu pantalón están preciosos. Tus calcetines combinan. Pero a tus zapatos les hace falta una boleada", probablemente no te ofenderás demasiado. Sentirás que estoy de tu lado.

Los elogios son el azúcar que hace que la medicina resulte tolerable al paladar. Las personas son criaturas delicadas con mala memoria. A la hora del desayuno, puedes decirle a tu esposa que ella es la luz de tu vida, ¡pero cuidado con criticarle el postre a la hora de la comida! Si quieres evitar que jamás vuelva a cocinar un pastel, elogia profusamente sus papas antes de criticar su postre.

Y me refiero a elogios verdaderos, *no a zalamerías.* Los elogios deben ser concretos: "Manejaste muy bien esa llamada; me gustó

la serenidad que mostraste", mientras que la zalamería tiende a ser general: "Eres una gran secretaria". Las personas perciben la diferencia.

Piensa que se trata de un recordatorio. Por la forma en que funcionan nuestros egos, preferimos que se nos recuerde a que se nos diga. Cuando le dices a alguien: "John, estoy seguro que lo que te voy a decir ya lo sabes...", estás cuestionando su memoria más que su inteligencia. La mayoría de la gente no se avergüenza de que su memoria diste de ser perfecta; pero siempre detestan que se les llame tontos.

Por tanto, quizá te resulten prácticas algunas frases para lograr tu propósito: "Antes te he visto hacer esto bien. Pienso que tal vez lo has olvidado temporalmente...", o "Probablemente a ti ya se te ha ocurrido antes esta idea...".

Reconoce que tú padeces el mismo problema. La crítica suele conllevar la idea de que quien critica está diciendo: "Yo soy mejor que tú".

Si yo te digo: "¡Siempre llegas tarde!", ¿no es verdad que de inmediato recurres a tu archivo mental para recordar cuántas veces yo he llegado tarde a comer, al trabajo, a cenar, a desayunar, al cine, a clases, etc.? El hecho de llegar tarde no es el verdadero problema, sino la sensación de ser humillado.

Cuando admites que padeces el mismo problema, resulta mucho más fácil de aceptar: "Uno de los defectos que estoy tratando de quitarme es mi impuntualidad. He observado que también tú llegas tarde frecuentemente..."

EN SÍNTESIS

Si quieres conservar tus relaciones y lograr resultados óptimos de la gente, debes ser considerado con sus egos. Sé franco y alentador.

¡PRIMERO PREGUNTA!

Andrea estaba enfurecida al teléfono: "me mandaste la factura del seminario cuando yo ya te la había pagado íntegramente. Ya te dije dos veces que no te debo nada. ¡Me estás causando molestias a mí y a mi familia! ¡Esto habla muy mal de ti y se va a saber!" Estaba muy enojada la señora.

Azotó el auricular de su teléfono, mientras yo le decía: "Voy a checarlo y te llamo. Gracias por llamar."

Cinco minutos después, apenadísima, volvió a llamar Andrea. "Mi esposo acaba de checar los pagos hechos a través de la cuenta de cheques y... Estoy tan apenada ¿Qué te puedo decir? Yo habría jurado que ya te habíamos pagado todo. Me siento terriblemente mal contigo..."

Andrea no solo fue tan amable de llamarme nuevamente y disculparse, ¡sino que nos envió flores y chocolates!

Verónica recibió un tostador como regalo de Navidad. A la semana dejó de funcionar. Ella estaba furiosa. Se dirigió a la tienda de electrónica de la localidad exigiendo servicio, justicia y un tostador nuevo. En el almacén revisaron el aparato y dijeron estar más que dispuestos a darle gusto salvo por un detalle: ¡el tostador había sido adquirido en la tienda de enfrente!

Moraleja: primero reúne toda la información disponible. *Entérate de los hechos antes de abrir la bocota.* Antes de empezar a denostar a tu casero, a amenazar al tendero, enfurecerte con tu jefe o a vociferar contra los empleados, entérate de *todos* los hechos.

COBROS EXCESIVOS

A todos nos irrita que nos cobren de más, y algunos individuos saben manejar estas situaciones mejor que otros. Polly telefonea a su mecánico y le dice: "me está usted estafando. Se ha portado como un pillo. Jamás le pedí que cambiara la caja de velocidades. Lo voy a demandar. Le insistí en que no le metiera mano al auto sin consultarlo con mi marido."

El mecánico responde: "hablé con su marido esta mañana. ¡Aquí tengo su autorización por escrito!"

¡En menos de un minuto Polly ha hecho un papelón y se ha ganado la enemistad de su mecánico!

De nuevo, lo sensato es averiguar los hechos. Condúcete como un abogado en el juzgado, recabando las evidencias que puedas necesitar más tarde.

"¿Recuerda usted lo que dijo?"

"¿Recuerda la plática que tuvimos acerca del precio? ¿Qué fue lo que dijo usted?"

"¿Conserva usted un registro actualizado de mis pagos?"

"¿Ya vio la factura que me enviaron? ¿Considera usted que está correcta?"

Frecuentemente, un par de preguntas inteligentes eliminarán el problema.

A veces la gente olvida sus promesas. Si ése es el caso, puedes decirle: "Pues bien, yo sí me acuerdo y con esto te lo demuestro. Me debes 300 dólares."

Como habrás notado, pueden existir errores en facturas y expedientes. Preguntar civilizadamente antes de enfrascarse en una discusión puede solucionar las cosas y ahorrarnos tremendas vergüenzas.

Asimismo, cuando la gente no llega, no cumple o no se desempeña correctamente, las preguntas son mejores que los ultimátums: "¿Recuerdas lo que te pedí?... ¿Qué me prometiste?... ¿De quién es responsabilidad esto?"

Otra clase de cuestionamiento muy útil es el siguiente: "Si yo le demuestro que me está cobrando de más, ¿qué haría usted?".

"¿Si le demuestro que usted cometió un error, me eximiría de pagar el adeudo?"

Las personas astutas fingen no entender y hacen muchas preguntas. Intenta hacer hablar a los otros mientras tú escuchas.

Antes de abrir la boca, averigua:

a) *Qué saben ellos.*
b) *Qué piensan.*
c) *Qué harán.*

Otras preguntas útiles son:
"¿Usted qué opina?"
"¿Cómo se sentiría si estuviera en mi lugar?"
"Si usted estuviera en mi lugar, ¿qué haría?"

EN SÍNTESIS

Siempre que negocies con alguien —la mayor parte de la interacción con la gente es un tipo de negociación—, como política, *primero debes hacer preguntas*. Te evitas vergüenzas y te aseguras de hablar desde una posición de poder.

CÓMO HACER ENTENDER MEDIANTE PREGUNTAS

A nadie le gusta echar a la calle a los empleados (bueno, ¡casi a nadie!). Cuando se hace necesario despedir a alguien, la mejor manera de hacerlo suele ser haciéndole preguntas.

Mi amigo Charlie es muy hábil para comunicarse. La secretaria, Jenny, observaba una actitud hostil y con frecuencia alegaba con la esposa de Charlie. Éste decidió echar a su secretaria, pero deseaba que ella supiera por qué perdía el empleo, procurando que la entrevista fuera lo menos dolorosa posible. Me relató el diálogo que sostuvieron, el cual es un excelente ejemplo de cómo el hábil empleo de preguntas le permitió hacer prevalecer su postura.

"Jenny, ¿cómo calificarías tu actitud durante el tiempo que has trabajado en esta oficina?"

"No de lo mejor."

"Antes ya habíamos hablado al respecto, ¿no es así?"

"Sí; es que mi esposo me hace enojar."

"¿Y tú debes desahogar aquí tus problemas personales?"

"Yo creo que no."

"¿No te parece que has reñido mucho con mi esposa aquí en la oficina?"

"Supongo que sí."

"¿Consideras que ese problema va superándose?"

"Creo que no."

"Quiero que me digas, considerando que lo que busco es paz en la oficina y paz en mi matrimonio, ¿quién crees que tendría que irse de aquí?"

"Este... ¿yo?"

"¿Te das cuenta de que tendrás que marcharte?"

"Sí."

"Entonces estamos de acuerdo."

"Sí; es mejor que me vaya."

Ella misma se despidió. Charlie no la atacó ni la criticó. A través de un hábil manejo de preguntas, le hizo ver que tenía que irse.

Se trata de un verdadero arte.

LA IRA NO MOTIVA

Es admisible sentir frustración o molestia. Pero no debemos cometer el error de tratar de motivar a otros enojándonos con ellos y gritándoles.

Nuestra pareja, amigos, empleados e incluso nuestros hijos, en ocasiones nos ignorarán o nos desafiarán con toda intención.

He aquí lo que frecuentemente sucede: las personas nos ignoran hasta que se dan cuenta de que la cosa va en serio. Para cuando finalmente decidimos *actuar*, estamos gritando y pataleando. Al obedecernos pensamos que los gritos funcionaron. Lo que en realidad funcionó fue la acción.

Por ejemplo, mamá pide a Willie que ordene su cuarto. Willie sabe que mamá no habla en serio todavía y sigue viendo Batman.

Mamá insiste en lo mismo: "Willie, por favor, arregla tu cuarto". Willie sabe, por sus experiencias anteriores, que es posible ignorar a mamá al menos durante 45 minutos.

Mamá persiste en su solicitud: "Willie, arregla tu cuarto *en este momento*".

Willie considera que ella aún no está hablando totalmente en serio, y piensa: "cuando menos me quedan tres minutos para seguir viendo Batman".

"Willie, *arregla tu cuarto*."

"Suena más amenazadora", piensa Willie, "pero todavía no existe peligro." Willie sigue con el dúo dinámico. A mamá empieza a hervirle la sangre. Willie la estudia. Se le ha enrojecido la cara, pero aún no grita.

Transcurre un minuto y mamá entra a la sala enarbolando una cuchara de madera. Grita a todo pulmón y agita la cuchara: *"¡te metes a tu cuarto ahora mismo o te parto el cráneo...!"*.

Willie no espera a que mamá termine de hablar; ¡ya vino con la

cuchara! Mamá ha recurrido a la *acción*. Finalmente está so...
niendo sus amenazas. Ahora Willie está muy asustado y un poc...
impresionado.

Mamá obtiene los resultados deseados y piensa: "Parece que no
me queda más remedio que gritar para lograr que me obedezca".
Pero no fueron los gritos, fue la *cuchara*.

Mamá podría haber empleado otro sistema. Podría haber visto
a William fijamente a los ojos y decirle: "Willie, en este momento
son las 4:15 de la tarde. Tienes hasta las 5:30 para tener tu cuarto
arreglado. No voy a hablar contigo sobre el asunto otra vez. Si
tienes arreglado tu cuarto a las 5:30 —de acuerdo con el reloj de
la cocina— te lo agradeceré. Si no lo haces, no podrás ver televisión en una semana. ¿Me entiendes? ¿Alguna pregunta?"

Si mamá está dispuesta a cumplir las condiciones que ha establecido, Willie aprenderá rápidamente. Si mamá no cumple y
permite ver televisión a Willie a pesar de no haber arreglado su
cuarto, pronto tendrá que regresar a las cucharas y a los gritos.

Obedecemos a los policías porque respaldan sus promesas con
acciones. Como regla general, los policías no gritan. No se ponen
a pisotear el suelo, entre gritos, gemidos y sollozos, para decir: "Ya
te lo he repetido hoy 17 veces
y te lo voy a decir por última, última,
última vez. No debes de robar." En
lugar de ello el mensaje es: "si robas,
te arrestaremos".

mente demoramos la acción hasta el punto
de los gritos, podemos creer que son precisamente éstos los que
motivan a la gente. No es así. La gente nos toma en serio por lo
que *hacemos*, no por lo fuerte que gritamos.

ESTABLECE LAS REGLAS

"SI LA VIDA ES UN JUEGO, HAGAMOS
QUE LA GENTE CONOZCA LAS REGLAS."

Fred tiene un problema con su hijo, Johnnie. Cada semana Fred
le pide a Johnnie que saque la basura, y él, frecuentemente no lo
hace. Cuando esto ocurre, Fred no sabe qué hacer. "¿Debo pegarle, enviarlo a su recámara, dejar de darle dinero, o debo tratar de
hablar con él...?", piensa.

Julie tiene un problema similar con Karen, su secretaria. Frecuentemente le pide que durante el día termine de mecanografiar
diversos documentos. Ambas saben que se trata de una cantidad
razonable de trabajo; no obstante, la secretaria nunca lo termina a
tiempo. Julie se encuentra en aprietos; y no puede pegarle a Karen
ni mandarla a su recámara. Julie quiere mantener buenas relaciones en la oficina y no está segura de cómo manejar la situación.

Situaciones como éstas pueden minar las relaciones. Si las personas nos quedan mal, y por ello las metemos en cintura, se mo-
lestarán. Frecuentemente nos considerarán viles e injustos.

SEÑALA LAS REGLAS DE ANTEMANO

La solución es advertir a tu hijo y a tu secretaria de a) *Lo que deseas;* b) *Lo que sucederá si lo llevan a acabo;* c) *Lo que sucederá si no lo llevan a cabo.* Esto puede hacerse de una manera muy amigable. Veamos cómo Fred podría manejar a Johnnie:

Fred: "Johnnie, vamos a hablar del asunto de la basura."

Johnnie: "¿Qué?"

Fred: "Todo el mundo tiene obligaciones en esta casa. A ti te va a corresponder sacar la basura. ¿Comprendes eso?"

Johnnie: "Sí."

Fred: "Quiero que saques la basura *cada* semana, ¿lo harás?"

Johnnie: "Sí."

Fred: "Si lo haces, la casa estará limpia y bonita, tú seguirás recibiendo tu dinero y no te daré molestias por el asunto de la basura. ¿Comprendes?"

Johnnie: "Sí, ¿ya me puedo ir?"

Fred: "No, tengo que decirte algo más. Quiero que sepas que si no cumples con tu obligación, no recibirás dinero esta semana. No es que no te quiera ni que tenga intenciones de ser malo contigo. Sencillamente así son las reglas en esta casa. Si cumples, suceden unas cosas, y si no cumples, pasan otras."

Johnnie: "De acuerdo."

Fred: "Entonces, Johnnie, repíteme por favor cuál es el trato sobre el asunto de la basura."

Johnnie: "Me darás dinero siempre y cuando la saque."

Fred: "¿Y si no lo haces?"

Johnnie: "No recibiré dinero."

Fred: "¿Alguna duda sobre el trato?"

Johnnie: "No."

Fred: "Excelente. Quería que lo supieras de antemano para que no quede ninguna duda."

Una vez establecidas las reglas, Fred se ha hecho más fácil la vida. Mientras que no se retracte al sentirse presionado, su hijo seguirá sacando la basura y respetándolo. Si Johnnie decidiera no sacar la basura, Fred puede conservar el dinero o dárselo al hijo del vecino para que él saque la basura.

Julie puede plantear algo similar a su secretaria Karen:

Julie: "Quiero que termines de mecanografiar estas cartas hoy mismo."

Karen: "Está bien."

Julie: "¿Las tendrás listas a las 5:30?"

Karen: "Sí."

Julie: "Es muy importante; si lo haces te lo agradeceré."

Karen: "De acuerdo."

Julie: "Karen, quiero que te quede claro que tienes que terminar estas cartas antes de marcharte. Si no están listas a las 5:30, tendrás que quedarte más tarde para terminarlas. ¿Estamos de acuerdo?"

Karen: "Sí."

Si observas la manera de comportarse de muchos jefes y padres, notarás que acostumbran meterse en líos. O no establecen reglas, o son demasiado débiles como para hacerlas respetar cuando llega la hora de la verdad.

Por ejemplo, mamá lleva a los niños a la playa. A las cinco de la tarde les dice: "Ya vámonos".

"¡Quedémonos un rato más!", exclaman los niños.

A las 5:15 ella grita: "vámonos".

Pero los niños contestan: "En un momentito".

A las 5:25, "¡Ahora sí es en serio!"

Dan las 5:45 y mamá ni siquiera sabe dónde andan los pequeños. Al fin, salen del agua a las 6:30 y mamá se pregunta: "¿por qué se portan así estos niños malcriados?".

¡Lo cierto es que la culpable es ella misma! Se la pasa demostrando a sus hijos que no habla realmente en serio. Los amenaza con irse, pero no se va. Los niños saben que mamá es pura "lengua".

¿Qué es lo que ella debería hacer? A las 4:50 podría decirles: "Nos vamos en diez minutos. El que no esté en el auto a las 5 en punto, se queda". A las 5:00 p.m. ella se marcha, con o sin los niños. ¿Cuánto les tomará darse cuenta de que mamá habla en serio? Para facilitarnos la vida a largo plazo, tenemos que ser serios y demostrar fortaleza.

¡Observa cómo se comportan los padres con sus hijos en el supermercado! Es muy ilustrativo.

"Quiero chocolate", dice el pequeño Billie, de dos años de edad.

Papá: "Ahorita no puedes comer chocolate."

Billie: "Pero quiero chocolate."

Papá: "Ahorita no."

Billie: "Quiero chocolate."

Papá: "Ya te dije que no."

Billie (gritando): "¡quiero chocolate!"

Papá: "¡No!"

Billie (pataleando, gritando y lloriqueando): "¡Quiero chocolate! ¡quiero chocolate! ¡quiero chocolateee!"

Papá: "¡Ten tu chocolate!"

Mensaje de papá a Billie: "si gritas y pataleas lo bastante, te daré lo que deseas. Incluso cuando te diga que 'No', me echaré para atrás si haces escándalo. Si te comportas como un patán insoportable, siempre obtendrás lo que desees."

¡Y papá se pregunta por qué el niño le da tanta lata!

¿Qué es lo que papá debería hacer? Sencillamente advertir a Billie de antemano: "hoy no vas a comer chocolate. Aunque patalees y grites, pegues en la pared y dejes de respirar, no vas a comer chocolate." Bill entenderá el mensaje. Los niños aprenden rápidamente.

HAY QUE HACER QUE LOS DEMÁS SE COMPROMETAN

Las personas no se comprometen a menos que ellas mismas establezcan el compromiso.

¿Qué implica esto? Implica que no le digas simplemente a tu hija "quiero que estés de regreso a las 11:00". Quizá ella piense que *tú* eres quien quiere que llegue a esa hora. Probablemente fingirá no haber escuchado.

Tienes que ir más allá. Necesitas que te dé una respuesta al respecto. Tienes que ver a tu hija a los ojos, cara a cara. Cuando te esté prestando toda su atención, pregúntale: "¿Vas a llegar a esa hora?". Haz que se comprometa. *Decir a los demás lo que uno quiere no significa nada a menos que sepas que te han escuchado, te han comprendido y se han comprometido.*

A veces no deseamos pedir a alguien que se comprometa por temor a que se rehúse. Ésa es una señal·de debilidad nuestra.

EN SÍNTESIS

La gente se saldrá con la suya siempre que pueda hacerlo. Para facilitarte la existencia y lograr excelentes resultados:

a) *Establece las cosas de antemano.* "Esto es lo que quiero; éstas son las consecuencias."

b) Cerciórate de que han comprendido.

c) Averigua qué están dispuestos a hacer. *Obtén una respuesta.*

d) Una vez comprometido con un plan de acción, cúmplelo.

APRENDER DE LOS ERRORES

Harry regresa tarde a casa después del trabajo. "¿Qué te has creído? ¡*Es tardísimo*!", le grita su esposa a la vez que le azota la cena sobre la mesa. Él ha estado llegando tarde 28 años. Ella ha vivido molesta con él 28 años. Ella grita, él se malhumora.

Después de un cuarto de siglo juntos, ¿no han aprendido nada sobre relaciones humanas? ¿No podría haber ideado ella algo para lograr que su marido llegara más temprano?

"Querido, me da mucho gusto cuando llegas. Te extraño siempre que regresas tarde." ¿Lograría con ello una reacción distinta?

A medida que transcurren los años, ¿no deberíamos ser cada vez más hábiles para ser felices? ¿No deberíamos refinar nuestra destreza para congeniar con la familia e incorporarnos a esa gozosa minoría de personas que es más feliz cada año que pasa?

A una vecina mía le daba por romper objetos sobre la cabeza de su marido. ¡Solía arrancar de sus goznes las puertas de la alacena para estrellárselas en la cabeza!

Como aquel par llevaba ya 24 años de matrimonio, supuse que en un momento determinado habían dejado de aprender sobre comunicación y relaciones humanas.

¡Hay cosas que sencillamente no funcionan! Romper objetos sobre la cabeza de tu pareja es una de ellas, aunque existen actitudes más sutiles que minan las relaciones.

Cuando recibimos a nuestra pareja con frases como:

"¿Dónde andabas?"

"¿Qué te piensas que estás haciendo?"

"¡Siempre llegas tarde!"

"Es tu culpa."

"Eres tonto, gordo, haragán, ignorante, egoísta y no tienes remedio."

El efecto es negativo. Debemos aprender de la experiencia y dejar de cometer los mismos viejos errores.

Por ejemplo, cuando alguien llega tarde repetidamente, nuestro mensaje debe ser: "Disfruto tanto tu compañía, que cuando llegas tarde te extraño. Siento que no te importa y eso me molesta..." Necesitamos dar incentivos para que la otra persona cumpla nuestros deseos, no para que se vaya de casa. Lo que suele suceder es que la parte "ofendida" utiliza el regaño y quien llega tarde empieza a hacerlo con más frecuencia para evitar los regaños.

Robert, cuya esposa se mostraba especialmente hostil siempre que se retrasaba, una tarde telefoneó a su cónyuge desde la oficina para avisarle que no llegaría a tiempo para la cena. Le pidió que metiera la comida en el horno y, para sorpresa suya, ella se mostró muy anuente. No fue sino hasta que llegó a casa cuando comprendió por qué su mujer estaba tan complacida con la idea de meter su comida al horno: ¡la cena era ensalada!

EN SÍNTESIS

Nuestras relaciones deben mejorar constantemente, y no deteriorarse gradualmente. Las relaciones son como las empresas, no pueden permanecer estáticas. *Si las cosas no mejoran, significa que vivimos sin aprender.*

¿RECIBES LO QUE ESPERAS RECIBIR?

A finales de los sesentas el doctor Robert Rosenthal, de la Universidad de Harvard, condujo un experimento en una escuela de California. Al iniciar el año escolar, el director de la escuela llamó a su oficina a tres profesores y les dijo: "en vista de su magnífica labor docente durante los últimos tres o cuatro años, es obvio que ustedes son los mejores maestros de la escuela. Como recompensa, a cada uno de ustedes se le asignará este año un grupo integrado por 30 de nuestros estudiantes más brillantes. La selección de los alumnos se hará en función de su elevado coeficiente intelectual y sus deseos de superación. Enseñen a los muchachos como si se tratará de un grupo cualquiera, y no digan ni a ellos ni a sus padres que se trata de alumnos especiales."

Al final del año, aquellos tres grupos aventajaban a todas las escuelas de los alrededores en logros académicos, desempeñándose de un 20 a un 30% por encima del promedio.

Entonces el director dejó caer la bomba sobre sus profesores: "No se eligió a estos alumnos por su capacidad académica; fueron seleccionados al azar". Los sorprendidos profesores tuvieron que llegar a la conclusión de que los alumnos habían destacado porque ellos los consideraban brillantes. Y agárrense: ¡los maestros también habían sido seleccionados al azar!

Los profesores *creían* en sí mismos y *esperaban* que los muchachos destacaran, y los alumnos se desempeñaron a la altura de las expectativas.

El mensaje para nosotros: tu hijo, tu hermano, tu secretaria, los muchachos a los que entrenas en el futbol, incluso tu esposa, tenderán a desempeñarse de acuerdo a tus expectativas. Si crees que manejas un equipo de perdedores, ellos demostrarán, perdiendo, que estabas en lo cierto. Cuando tú crees en los demás, ellos creen en sí mismos y tenderán a demostrar que estás en lo cierto.

"¡Pero eso lo sabe todo mundo!", quizá digas. "No hay libro sobre la educación de los hijos o sobre manejo de personal que no hable de la importancia de elogiar y alentar". ¡Así es! Se habla mucho al respecto, pero poca gente lo *sabe*. Cuando uno realmente *sabe* algo, lo aplica en su vida. Pregúntate cuántos maestros o jefes realmente te han motivado e inspirado a alcanzar nuevas alturas en tu vida.

¿QUÉ ESPERO DE LA GENTE?

Los hallazgos de Rosenthal deberían motivarnos a preguntarnos: "¿qué he esperado de la gente durante toda mi vida?".

"No sé qué habrá descubierto Rosenthal, ¡pero mi secretaria es una burra!", asegura Fred. No tienes vuelta de hoja, Fred. Mientras tú pienses que es una "burra", seguirá siéndolo. Cuando empieces a creer en ella, a alentarla y a darle apoyo, probablemente empezará a mostrar su talento.

Todos podemos ser como Fred: esperar desilusiones y lograr que dichas expectativas se conviertan en realidad.

¿QUÉ DEBO HACER PARA ALENTAR A LA GENTE?

Lograrás que los demás lleguen a triunfar, si los ayudas a descubrir sus propios avances. Frecuentemente les resulta difícil advertirlo por cuenta propia. Comienza con tu nuevo empleado: "Jim, tienes apenas una semana y ya estás comprendiendo de qué se trata el trabajo. Con tu capacidad y con tu personalidad, creo que en un año o dos podrías ser director de esta área."

Lograr que la gente tenga altas expectativas de sí misma no es simplemente cuestión de halagos; implica hacer proyecciones a futuro. "Hijo, he visto que te cuestan trabajo las matemáticas. Pero imagínate si dedicaras media hora más todas las noches a las ecuaciones. Con la determinación que tú tienes, estoy seguro de que obtendrías excelentes calificaciones el próximo semestre. ¿Qué te parecería eso?"

EN SÍNTESIS

No puedes forzar a la gente a que haga lo que no desea hacer, pero prácticamente todo mundo desea sentirse reconocido y tener éxito. Reconoce el valor y el potencial de los demás. *Halágalos por cosas* específicas, hazles ver lo *que pueden lograr* y por qué lo crees así. Te aseguro que responderán.

LA FORMA HACE GANAR AMIGOS

Casi todos hemos recibido, de boca de parientes y amigos, incontables lecciones sobre la importancia de los buenos modales. "Sé cortés. Dí gracias. Cepíllate el pelo. Baja los pies de la mesa. No hables con la boca llena. ¡No juegues con la comida, ni con los cubiertos!"

Desde luego, los buenos modales no son para demostrar nada. Los buenos modales permiten que los demás se sientan cómodos en compañía nuestra. Los modales equivalen a la conciencia que tenemos de nosotros mismos derivada de nuestro respeto hacia los demás.

Para ejercer influencia positiva en la gente, no tienes que vestir al último grito de la moda. No tienes que servir champagne en vasos de cristal sueco. Una buena velada no depende de que sirvas la sopa por la derecha o por la izquierda.

Los modales no son más que una fracción de uno mismo; en cierto sentido, son solo una fachada, pero no dejan de ser importantes. Sin embargo, si llegamos a sobrevaluar su importancia, nos arriesgamos a no advertir lo bueno que tienen los demás: come como caballo, pero sabe perdonar un agravio; llegó de camiseta a una cena formal, pero su charla fue muy amena; no cuentan con una vajilla adecuada, pero su casa está llena de alegría.

En nuestra búsqueda de las formas, no nos obsesionemos por asuntos superficiales.

¿No es frustrante que una amiga te hable de su jefe en los siguientes términos: "Pues bien, es alto, tiene cabello castaño, usa un reloj Gucci, tiene una bonita casa, se cuida con la comida, se parece un poco a..."? ¿Estará refiriéndose a la escultura de su jefe? ¿A qué se dedica en su tiempo libre? ¿Es un hombre generoso?

¿QUÉ SE ENTIENDE POR "FORMA"?

Forma es sinónimo de estilo. Veamos un ejemplo.

Agnes se casa con el único hijo de los encumbrados Schafer y, a la muerte de la abuela Schafer, hereda una tonelada de joyas. De pronto Agnes, rodeada por sus familiares y amigos de clase media, se convierte en poseedora de una fortuna incalculable; y tiene las joyas que se requieren para demostrarlo. Podría sentirse tentada a presumir sus riquezas recientemente adquiridas.

Pero Agnes está consciente de los buenos modales y es dueña de un estilo notable. Cuando se reúne el clan Schafer y todos los parientes acuden ataviados con añejos diamantes, Agnes se limita a vestir un elegante atuendo sin más que un collar de perlas y sus correspondientes aretes. Todo mundo piensa que llegará como árbol de Navidad, pero no lo hace. Decide no competir. ¿Resultado? Agnes se gana el respeto de los demás.

Las buenas maneras implican modestia más que ostentación. No se trata de competir. Se trata de estar consciente de que no tienes que demostrar nada.

EL AJUAR

Si deseas hacer amigos o conservarlos, pon especial atención en lo que a tu ajuar se refiere.

Regla primera: *No te arregles en exceso.* A la gente le molesta.

Regla segunda: *Aséate.* Si eres una persona aseada, ya ganaste la mitad de la batalla. No importa si la solapa es anticuada. La gente espera y aprecia la limpieza. Aunque no te alcance para la renta, por lo menos péinate y bolea tus zapatos. La gente se fija en los detallitos.

Regla tercera: *Debes estar consciente de la ocasión.* La gente te lo agradecerá. Lee la invitación y fíjate qué ropa se pide. Si no lo dice, pregunta. Así como no es apropiado acudir de *jeans* a una boda (a menos que se especifique lo contrario), tampoco es correcto ponerse una túnica de tafetán tipo Scarlet O'Hara.

HAY QUE SABER CUÁNDO NO SER
EL CENTRO DE LA ATENCIÓN

Las buenas maneras también implican saber cuándo mantenerse a la sombra...

La compañía donde trabaja Rod Fuller cambia de dueño, y Rod recibe su cese con un mes de anticipación. Como padre de cuatro hijos y deudor de una hipoteca, es un duro revés financiero y profesional para Rod, quien se siente abrumado.

Irónicamente Don, el hermano de Rod, logra un importante ascenso esa misma semana. En una fiesta de cumpleaños a la que asisten Don y Rod, sus parientes y la mitad del vecindario, los amigos compadecen a Rod y le ofrecen palabras de aliento. A mitad de esa conversación, la esposa de Don clama públicamente: "brindemos por el ascenso de Don. Hoy lo nombraron gerente general." Una persona más considerada y con un mejor concepto de sí misma habría elegido un momento más adecuado para hacer el anuncio.

EN SÍNTESIS

La buena presentación y el comer con la boca cerrada te harán más grata la existencia.

Pero los modales no implican conocer hasta el último principio de la etiqueta en la mesa. Al pensar en modales, no te preocupes tanto por reglas inviolables, sino por *ser considerado, respetuoso y hacer sentir cómoda a la demás gente.*

En suma, debes tener *estilo* y *buenas maneras.* Ten consideración por lo que sienten los demás y te estarán agradecidos.

EXPECTATIVAS EN UNA AMISTAD

Si sabemos qué esperar de una amistad, y nuestras expectativas son *razonables*, será menos probable sufrir decepciones.

Yo tenía un amigo, James. Él era una de las personas menos formales y más impuntuales que he conocido en mi vida. Durante mucho tiempo me dejé irritar por ello. Eventualmente caí en la cuenta de que James era James; muy apreciable, pero también muy impuntual.

No era asunto mío que él cambiara. Yo era quien debía ajustar *mis expectativas* sobre nuestra amistad. Yo tenía que ser más condescendiente. Sencillamente era muy agradable estar con él; era inteligente, generoso y se interesaba en cualquier tema. Sin importar a qué hora llegara —si es que llegaba—, su compañía era una maravilla. Cuando modifiqué mis expectativas con respecto de su comportamiento, aumentaron los momentos gratos y disminuyeron los enojos.

Considera una relación de padre e hijo. "Papá siempre me trata como si fuera un niñito. ¿Por qué no me puede ver como a un adulto?", piensa el hijo.

Para papá siempre serás un niñito. No tiene vuelta de hoja: ¡los padres siempre serán más viejos que los hijos! Y los hijos han tenido que hacerse a esa idea desde siempre. Una vez que lo aceptas, ya no existe problema.

No existen dos amistades idénticas. No puedes tener la misma relación con tu jefe que con tus colegas. Probablemente no tratarás a tu contador en la misma forma que a tu doctor.

Cada persona tiene diferentes valores, experiencias, posiciones, y todos esos factores influyen en la amistad.

Recuerda, lo que nosotros deseamos de una amistad puede ser muy distinto de lo que nuestros amigos esperan.

LÍMITES EN LA AMISTAD

Puedes ser honesto con tus amigos. Puedes confiar en ellos. Puedes abrirles tu corazón. Todo eso es cierto. Pero también existen límites en cualquier amistad.

¿Qué tipo de límites?:

• Utilizar a los amigos

Sin duda, Barry es un buen amigo tuyo, pero no creas que puedes pedirle dinero prestado cada dos días. Eventualmente Barry llegará a la conclusión de que lo estás usando de banco y finiquitará la amistad.

Los vecinos se sentirán encantados de cuidar a tus gemelos un par de veces al año. Podrían estar de acuerdo en cuidarlos una vez al mes. Pero presiónalos para que los cuiden una vez a la semana, y esos amigables vecinos pronto dejarán de contestar tus llamadas telefónicas. Entonces te preguntarás: "¿qué les sucede a los Parker? ¡Éramos tan buenos amigos!"

A la gente le encanta ayudar, pero detesta ser utilizada.

• Abusar de los amigos

La intimidad no es excusa para insultar a los amigos.

"¿Pero si yo no puedo insultar a mi mejor amiga, quién lo hará?", se pregunta Gloria. Pues bien, Gloria, el hecho de que ella sea tu amiga no significa que no tenga sentimientos. Bill exclama: "por supuesto que me burlo de su narizota, ¡es mi esposa!". *¡Mal hecho!*

Todos tenemos egos frágiles. Para la amistad se requiere de sensibilidad y tacto. La confianza es buena y maravillosa. Pero debemos tener cuidado de no ofender. Quizá me consideras tu amigo, pero si frecuentemente hago bromas sobre tu aspecto y pongo en duda tu inteligencia, pronto buscarás otro acompañante. Por muy estrecha que sea una amistad, siempre queda lugar para el tacto.

LÍMITES EN LA AMISTAD

CAPÍTULO 6

Nuestro papel en la vida ajena

Abrazos

Los juicios sobre los demás

Los chismes

Dar

Los celos

Hacer felices a los demás

Tratar de que los demás cambien

¿Quién es perfecto?

Tu reto en la vida es ser honesto contigo mismo.

ABRAZOS

¡**A**brazar es bueno para la salud! Necesitamos contacto físico, y de manera frecuente. Pero en ocasiones tememos al rechazo, de modo que recurrimos a acariciar nenes y perritos. Al menos tenemos la certeza de que el *poodle* del vecino no nos dirá: "¡no me toques, imbécil!".

En la actualidad incluso los expertos en medicina afirman *que necesitamos abrazarnos unos a otros*. El director psiquiátrico de la Fundación Menninger, doctor Harold Falk, señala: "los abrazos pueden disipar la depresión, insuflan vida fresca en los cuerpos cansados y te hacen sentir más joven y con mayor energía".

El doctor Bresler, de la Clínica del Dolor de la UCLA, receta abrazos: "Que te den un abrazo en la mañana, un abrazo al mediodía, otro a la hora de la cena, uno antes de acostarte, y te sentirás mejor".

En su libro *La alegría de tocar*, Helen Colton explica que la hemoglobina en la sangre se incrementa significativamente cuando te tocan y te abrazan. Cabe aclarar que la hemoglobina transporta los vitales suministros de oxígeno al cerebro, corazón y a todo el cuerpo.

Desde luego, es posible que la gente piense: "Yo no soy el tipo de persona que le da por abrazar". Sin embargo, es posible convertirse en ese tipo de persona. No tienes que abrazar a todo el mundo, pero en algún lado tienes que conseguir tu dosis de abrazos.

LOS JUICIOS SOBRE LOS DEMÁS

Cuando se habla de la amistad ideal, dos conceptos adquieren gran relevancia: la "aceptación" de los demás y el "no juzgar" a los demás: "él jamás me juzga…", "ella me acepta como soy…", "él me ama sin condición…". El mensaje que trasmiten: "Puedo intimar con las personas que no me juzgan ni me critican".

Cuando dejamos de juzgar y analizar a la gente, nuestra relación con ella se hace más estrecha. También ocurre lo contrario. Cuando analizamos y criticamos a los demás, se ensancha la distancia entre ellos y nosotros.

Quizá Fred pueda alegar: "pero yo soy inteligente. Soy un intelectual. Tengo que elaborar juicios sobre los demás, todo el tiempo." Tal vez tengas razón, Fred, pero en un momento determinado te será provechoso establecer un límite. Acuérdate del libro del

Tao. No tienes por qué juzgar a nadie; se puede apreciar a las personas como se aprecia una rosa o una canción. No tienes que vivir analizándolas, criticándolas y haciéndolas trizas.

EL NO JUZGAR Y LA PAZ MENTAL

Cuando dejamos de juzgar incesantemente a los demás, encontramos una profunda paz mental. ¡Con qué frecuencia la gente critica la forma de vida de sus amigos!

"Está demasiado gorda como para ponerse ese vestido."

"¡Qué estúpido si se casa con esa tipa!"

"Frank debería empezar a mover el trasero y conseguirse un trabajo decente."

"¡Se les podría haber ocurrido algo mejor que gastarse todo su dinero en un BMW!"

¿Te suenan conocidas estas frases? Cuando juzgamos en qué deberían emplear los demás su tiempo, dinero y existencia, saboteamos nuestra paz mental; nos sentimos perturbados porque las cosas no son "como debieran ser". Cuando pretendemos que la gente cambie, nos tensionamos y ¡nos hacemos odiar!

Siempre existirán vagos, pillos, fanfarrones, adictos al trabajo, alcohólicos, botarates, trasvestistas, ricos, pobres, gordos, flacos, independientemente de lo que tú opines al respecto. Si eres flexible y dejas a la gente vivir su vida, te ahorrarás muchísimo estrés. *La paz mental deriva de un cambio de actitud, no de las circunstancias.* ¿Y quiénes somos nosotros para juzgar lo que los demás deberían hacer?

Además, debido a que se aprende mucho de los propios errores, ¿no te parece sensato permitir que los demás generen sus propios "errores" y experiencias de aprendizaje, mientras nosotros nos concentramos en mejorar nuestras propias vidas?

LAS OPINIONES

Muchos crecemos con la idea de que la gente inteligente debe ser capaz de opinar sobre absolutamente todo.

No siempre debes tener una opinión. A veces lo apropiado es de plano no opinar. ¿Por qué no simplemente dejar a la gente en paz? Cuando tu vecino te pregunte: "¿no crees que Frank debería conseguir trabajo?", quizá querrás responder: "yo creo que Frank debería de hacer lo que quiera". Cuando la vecina pregunta: "¿no te parece terrible que la esposa de Frank esté tan gorda?", puedes pensar para tus adentros: "probablemente ella así lo desea".

A veces, sin embargo, es necesario emitir opiniones o hacer evaluaciones de la gente; por ejemplo: "¿mi secretaria da resultado?, "¿mi contador cumple con su trabajo?". Pero hay muchas ocasiones en que resulta improductivo emitir juicios.

Realiza un experimento. Pasa una semana sin juzgar nada ni a nadie. La próxima vez que te topes con alguien que habla demasiado, que despilfarra el dinero o que no trabaja, mentalmente repite: "te concedo la prerrogativa de vivir la vida como prefieras. No me corresponde juzgarte." La vida, entonces, será mucho más serena.

El hecho de no juzgar a nadie no implica que todo mundo deba parecerte agradable, o que no tengas preferencias; significa adoptar una actitud que te permite estar en paz con quienes te rodean.

EN SÍNTESIS

Si Fred ha vivido los últimos 45 años molesto por la forma de vivir de los demás, quizá reaccionará si comprende que mucha gente no ve las cosas como él. Por tanto, si desea vivir más felizmente, tiene dos opciones: esperar a que todo el mundo empiece a pensar como él, o concederles la prerrogativa de vivir sus vidas como mejor les parezca.

LOS CHISMES

De cuando en cuando, alguien vendrá a ti exclamando: "¡James dice que es una tontería lo que hiciste!", "Jenny no quiere volver a verte", "William asegura que eres un idiota sin remedio…". Muéstrate escéptico ante tales chismes.

Algo más que debes tener presente con respecto de las noticias de segunda mano: si no las escuchaste personalmente, no sabes en realidad qué se dijo. ¿Es importante saber *cómo* se dijeron las cosas? Lee la siguiente frase y observarás cómo cambia el significado al hacerse el énfasis en una determinada palabra:

Yo no dije que ella robó mi dinero.

Yo no dije que ella robó ni dinero. (Pero alguien lo dijo.)

Yo **no** dije que ella robó mi dinero. (Yo no lo dije.)

Yo no **dije** que ella robó mi dinero. (Pero lo di a entender.)

Yo no dije **que** ella robó mi dinero. (Pero alguien lo robó.)

Yo no dije que **ella** robó mi dinero. (Pero algo hizo con él.)

Yo no dije que ella **robó** mi dinero. (Robó el de otra persona.)

Yo no dije que ella robó **mi dinero**. (Robó otra cosa.)

¡Ocho significados distintos sin cambiar una sola sílaba! El tono, la inflexión y el énfasis lo dicen todo en una conversación.

A menos que hayas estado presente cuando se pronunciaron las palabras, es imposible que evalúes con exactitud el significado de las mismas a través de un comentario.

Antes de creer *nada*, antes que te dé un infarto, que despidas al gerente o que pienses en el divorcio, acude a la fuente original y busca la información necesaria. Esto es cosa de sentido común, pero podemos caer en la trampa si no tenemos cautela.

EN SÍNTESIS

Aunque los chismes puedan tener su origen en los hechos, éstos pronto se esfuman. Siempre que sea posible, entérate de labios de los protagonistas antes de actuar.

Si creyeras todo lo que se dice de toda la gente que conoces, probablemente confiarías en casi nadie y tendrías muy pocos amigos. Obviamente, si todo el barrio jura que Harry el Bueno es un gangster redomado, tal vez querrás tomarlo en cuenta; pero, en la mayoría de los casos, no pienses de la gente sino lo que puedas ver, y no te dejes seducir por los rumores. Saca tus propias conclusiones.

DAR

Mary festeja a Fred con un regalo de cumpleaños de 500 dólares. En el onomástico de Mary, Fred le ofrece un ramo de margaritas. Mary se queda helada. "¡Qué miserable!", refunfuña. "Yo me gasté lo de una semana en tu regalo y tú me das un miserable manojito de flores."

De acuerdo con las actitudes convencionales, podría pensarse que Fred ha quedado mal con Mary, que no se ha dado un intercambio justo. Pero dar no es cuestión de *intercambiar*. Cuando das, *das*.

Cuando regalas algo, es porque deseas que esa persona lo tenga. Lo das porque quieres darlo. Si no quieres regalar nada, eso no tiene nada de malo. Es asunto tuyo.

Nos metemos en líos cuando regalamos por interés. En la tarjeta del obsequio de Mary se lee: "Feliz Cumpleaños, Fred. Espero que te guste el estéreo. Con todo mi amor, Mary." El mensaje

implícito es: "Mi cumpleaños es en agosto, Fred. Si no inviertes en mi regalo cuando menos la misma suma, pensaré que eres un patán barato, y podrás irte buscando otra novia."

Los problemas surgen cuando al dar ponemos condiciones: "Te regalo este suéter y quiero que te lo pongas dos veces por semana; si no lo haces me sentiré muy ofendida".

Asimismo, podemos dar renunciando a nuestro tiempo y oportunidades en favor de nuestra esposa, nuestros hijos y amigos. Más tarde les diremos: "¡Yo me sacrifiqué por ti!", "Te di los mejores años de mi vida; sacrifiqué mi carrera".

Seamos adultos. Si quieres hacerlo, hazlo. Si no lo quieres hacer, no lo hagas. Ahórrate el discurso sobre tus sacrificios. Deja que la otra persona se sienta agradecida, pero no la hagas sentir culpable.

Por lo que toca al dar y al recibir, básicamente recibimos lo mismo que damos. La única manea de conservar la paz mental es dar sin condición. Si Mary obsequió a su novio Fred el estéreo con la idea de que haga con él lo que le plazca, ella se sentiría contenta, independientemente de lo que haga Fred; ya sea que lo escuche todos los días, ya sea que se lo regale a su hermano, ya sea que Fred desaparezca de su vida y se case con otra.

Cuando regalamos, hagámoslo sin ningún interés:
Si decimos, "toma esto...

a) Con la condición de que lo aprecies.
b) Con la condición de que me aprecies a mí.
c) Con la condición de que hagas con el regalo lo que yo quiero.
d) Con la condición de que *me des algo a cambio.*
e) Con la condición de que te sientas culpable...

entonces no estamos dando nada. Estamos *intercambiando.*

EN SÍNTESIS

Dar sin condiciones puede sonarte a "consejo espiritual". Pero es sumamente práctico y puede evitar muchos resentimientos.

LOS CELOS

Freud dijo que quienes aseguran no sentir celos jamás se engañan a sí mismos. La mayoría de las personas sentimos un poco de celos o envidia de vez en cuando; si un ser amado prodiga atenciones a nuestro mejor amigo, o cuando un colega es ascendido, nos duele un poco.

Parecería que creemos que existe una cantidad limitada de amor y cariño. Por tanto, si mamá muestra un poco de amor adicional a nuestra hermana, nos sentimos menos importantes. No hay por qué vivir con esos sentimientos.

Si tu madre adora a tu hermana, eso no implica que tú seas menos maravilloso. Si tu esposa opina que tu hermano es guapo, inteligente o divertido, no significa que te quiera menos. Hay en el mundo sitio de sobra para muchas personas especiales.

HACER FELICES A LOS DEMÁS

No es tu responsabilidad hacer felices a los demás. Tu reto en la vida es ser honesto contigo mismo, tratar a los demás como te gusta ser tratado y, sobre todo, *disfrutar* la vida.

Si tu vecino desea ser desdichado, infeliz y sombrío, está en su pleno derecho. La infelicidad es una etapa en el proceso de aprendizaje de la vida. Si una persona decide vivir permanentemente deprimida, déjala que viva como quiera.

Rememora tu propia vida. Tal vez recuerdas épocas en que te sentías deprimido y tus amigos te decían: "¡alégrate! ¡La vida es maravillosa!" Pero solamente cuando *tú* estuviste listo, cambiaste tu actitud y empezaste a ver las cosas de otra forma.

En cualquier caso, ¿quiénes somos nosotros para decir a los demás que deben ser felices? ¿Quiénes somos nosotros para determinar cómo debieran comportarse las personas sombrías?

Considera por un momento tus peores errores. Puede tratarse de matrimonios, divorcios, negocios fallidos, empleos que no prosperaron, amistades perdidas… Ahora deja de leer y recuerda lo que aprendiste a partir de esos errores, *¡Deja de leer!*

Muy bien, ¿qué fue lo que aprendiste? ¿Aprendiste mucho? Aprendemos muchísimo de nuestros errores; el éxito nos hace celebrar, el fracaso nos pone a reflexionar. Así que la próxima vez que decidas intervenir para "salvar" a alguien de un matrimonio inadecuado, de un viaje equivocado, de una mala decisión, de un divorcio, probablemente lo estarás privando de una gran experiencia. ¿Puedes justificar algo así?

POR TU PROPIA PAZ MENTAL

Si intentas denodadamente cambiar a la gente, ella te aborrecerá.

Supongamos que tu vecino Dreary se queja del gobierno, de la economía, de su madre, del clima y del precio de los abarrotes; asegura que la gente es horrible y que el mundo va cuesta abajo, le preocupa su salud... todo le parece un verdadero problema y nada vale la pena.

Dreary es desdichado e insoportable, porque él ha optado ser de ese modo. Nadie le ha colocado una pistola en la sien: "Dreary, tienes que ser insoportable". Sus acciones derivan de su elección. Él analiza sus opciones y decide que *ser feliz es demasiado difícil y requiere de mucho esfuerzo.* Decide que es más fácil ser infeliz y, al mismo tiempo, arrastrar a otros hacia abajo.

Así como Dreary actúa por elección propia, tú puedes hacer lo mismo: opta por dejar que el único desdichado sea él. Y si piensas, que Dreary es un viejo amigo, ¡pues busca amigos nuevos!

Si a tu alrededor hay gente desdichada que te deprime, te roba la energía y se niega a cambiar, entonces busca otra compañía. No los odies, no les tengas resentimientos ni los juzgues. Ámate a ti mismo y quiere a los demás lo bastante como para dejarlos en paz, y ocúpate de tus propios asuntos.

¿QUÉ HACER SI ALGUIEN TE PIDE AYUDA?

Ayudar a quien te lo pide es completamente distinto a juzgar la existencia de los demás e intentar hacerlos cambiar. Y ayudar a quienes están comprometidos con su propia superación es una experiencia regocijante.

Si has encontrado la forma de hacer que tu vida funcione y alguien te pregunta cómo lo logras, comparte con dicha persona tus ideas, dale tu tiempo, préstale tus libros.

En una ocasión acudí a un seminario con William, un amigo mío. En él conocimos a Leo, quien admitía su tendencia a

preocuparse compulsivamente. No sabía cómo divertirse y no podía darse ninguna alegría. Trabajaba 80 horas a la semana y su vida familiar estaba llena de tensión. Bebía todas las noches hasta quedarse dormido.

Los tres compartimos algunos momentos durante la semana, y advertí que —de vez en cuando— Leo nos hacía preguntas sobre nuestra manera de ver la vida. El seminario concluyó y perdí contacto con Leo.

Seis meses después Leo llegó a la ciudad y me telefoneó, insistiendo en invitarme a cenar.

"Andrew, ¡te debo una cena!", fue lo primero que dijo.

"¿Por qué?"

"Te vas a sorprender cuando sepas lo que sucedió desde que te conocí. He recortado mi horario de trabajo, paso más tiempo con mi familia, los negocios marchan viento en popa y no me he emborrachado para dormir en seis meses; me compré un buen auto…"

"Me parece fantástico, pero ¿por qué me debes una cena?", pregunté sorprendido.

"El hecho de haberlos conocido a ustedes dos marcó la diferencia para mí."

"¿De veras? Explícame eso."

"Al pasar una semana con ustedes, me di cuenta de que eran más felices y serenos que yo. Me inspiraron para efectuar algunos cambios que les quiero agradecer."

"Gracias, Leo, pero tú eres el que merece el crédito; tú lo hiciste. Pero si lo deseas, invítame a cenar, lo cual me da mucho gusto", le dije.

Fue una alegría recibir esa llamada de Leo. Me dio gusto saber que su vida marchaba bien y sentir que yo había contribuido a ello. Su llamada también me hizo recordar que cuando alguien realmente está listo para emprender un cambio en su vida actúa en consecuencia. A la gente no le gusta que solamente le embutas tus ideas.

EN SÍNTESIS

Cuando la gente realmente está deseosa, vendrá a solicitar información. *La gente debe estar lista para el cambio.* Si ardes en deseos de ayudar a la gente, no sermonees. Tan solo limítate a *ser un ejemplo.* La gente se sentiría invariablemente atraída por ti y pedirá tu consejo. En cambio, si nadie te pide tu opinión, mejor dedícate a jugar golf.

CUANDO SE CONVIVE CON GENTE INFELIZ

Cierta vez me entrevistaron para un programa de radio. En esa ocasión respondí a las preguntas que hacía el público sobre mi libro. *¡Por favor, sea feliz!* Una dama telefoneó a la radiodifusora y dijo: "Señor Matthews, debería darle vergüenza; hablar de ser feliz cuando tanta gente en el mundo vive en el dolor y la miseria. ¡Me parece egoísta y vergonzoso!

Su reacción fue demasiado extremista, pero expuso un punto de vista válido. ¿Cómo reconciliar nuestra propia felicidad con la desdicha que nos rodea? ¿Cómo lidiar con ella? ¿Será correcto sentirse contento si tus colegas sienten ganas de suicidarse?

Si en verdad te preocupan tus colegas desdichados, ¿te deprimirás para solidarizarte con ellos? *¡No!* Sé feliz por propia elección y deja que ellos elijan lo que prefieran.

Si estás rodeado de gente infeliz, y es difícil evitar su compañía, ¡lo mejor que puedes hacer es ser feliz! Si te empantanas en la desdicha de otro, ambos serán infelices. Eso no le sirve de nada a nadie, y tú te conviertes en víctima.

Cuando los demás se sientan infelices, ten compasión, pero a la vez mantén tu ánimo en alto. Entonces demostrarás que existe una alternativa: la alegría y la felicidad. Mucha gente recurre a la depresión para llamar la atención. Si decides unírteles, permites que se te manipule. Niégate a jugar su juego y ellos cederán.

¡CUANDO LOS DEMÁS SON MÁS FELICES QUE TÚ!

También debemos ser capaces de tratar con personas que son más felices que nosotros. Si nuestra pareja está pasándola de lo mejor, quizá pensemos: "Es claro que está absolutamente feliz de la vida y yo estoy fuera de la jugada" o, peor aún: "Su felicidad no parece tener nada que ver con nada que yo haya hecho o dicho. ¡Cómo se atreve a estar feliz sin mí!"

Insistir en que nosotros debemos recibir el crédito por la felicidad de nuestros seres queridos, conduce a la envidia y al descontento. La gente feliz se alegra de ver felices a los demás.

Esta edición de 8,000 ejemplares se imprimió en marzo de 1995, en
Avelar Editores, S.A. de C.V., Bismarck 18, 03510 México, D.F.